Inglés sin Barreras

El Video-Maestro de Inglés Conversacional

11 Una Aventura en Dos Mil Palabras

Manual

Para información sobre
Inglés sin Barreras
en oferta especial de
Referido Preferido
1-800-305-6472
Dé el Código 03429

Focus 70# matte web

Dedicatoria

Dedicamos este curso a todos los hispanos que tomaron la iniciativa de traer el idioma inglés a sus vidas para expandir sus horizontes. Los sueños pueden convertirse en realidad. Con gran respeto y afecto,

Sus amigos de Inglés sin Barreras

Metodología	Center for Applied Linguistics
Texto	Karen Peratt, Cristina Ribeiro
	Center for Applied Linguistics
	International Media Access, Inc.
Ilustraciones	Gabriela Cabrera
Diseño gráfico	Gabriela Cabrera, José Luis Quilez,
	Leena Hannonen/MACnetic Design,
	David Kaestle, Inc., Martin Petersson
Guión adaptado - inglés	Karen Peratt
Guión adaptado - español	Cristina Ribeiro
Edición	Horacio Gosparini, Yuri Murúa,
	Damián Quevedo, Mike Ramirez
Aprendamos viajando	Marcos Said, Pablo Moreno, Alfredo León
Música	Erich Bulling
Diseño gráfico – video	Marcos Said
Fotografía	Alejandro Toro, Alfredo León
Producción en línea	Miguel Rueda
Dirección - video	Loretta G. Seyer, Patricio Stark
Coordinación de proyecto	Cristina Ribeiro
Dirección de proyecto	Karen Peratt
Directora ejecutiva	Valeria Rico
Productor ejecutivo y Director artístico	José Luis Nazar

Una Aventura en Dos Mil Palabras

Índice

Introducción 3

Capítulo Uno   Nuevos amigos 11

Capítulo Dos   Perdido en la ciudad 27

Capítulo Tres   De compras 33

Capítulo Cuatro   Un buen trabajo 47

Capítulo Cinco   Enamorándose 57

Capítulo Seis   Cómo adquirir un auto 69

Capítulo Siete   De mudanza 75

Capítulo Ocho   La escuela 83

Capítulo Nueve   Todos juntos 89

Curso de Audio   Audio 11 100

Notas

Introducción

**Bienvenido al Volumen 11 de Inglés sin Barreras,
"Una Aventura en Dos Mil Palabras".**

Nuestro objetivo en este volumen es presentarle situaciones cotidianas de la vida en Estados Unidos para ayudarle a desenvolverse en inglés en todo tipo de circunstancias.

Siga las aventuras de Rafael, un joven costarricense recién llegado a Estados Unidos, y su amiga y profesora, Verónica. Verónica, una actriz de origen cubano que se crió en Estados Unidos, se ha ofrecido a ayudar a Rafael a conocer mejor la cultura norteamericana y a enseñarle el vocabulario necesario para manejarse en las situaciones en las que se encuentre. Seguirá las aventuras de Rafael y verá como se establece y progresa en Estados Unidos. Al igual que Rafael, usted aprenderá a desenvolverse en inglés en:

- Situaciones sociales
- Situaciones de la vida diaria
- Actividades de tiempo libre
- Situaciones de trabajo

Ya sea porque usted resida en Estados Unidos, porque planee visitarlo algún día, o porque simplemente necesite saber inglés en su propio país por motivos profesionales, el vocabulario y fluidez que adquirirá en compañía de Rafael y Verónica le serán de una ayuda incalculable. Asimismo, este programa le proporcionará información valiosa sobre la cultura y el modo de vida norteamericanos.

Introducción

Desde la primera escena, usted notará que los diálogos, conversaciones y escenas que se incluyen en este video son más avanzados y complicados que los de los volúmenes anteriores. Si tiene dificultades al principio, no se preocupe. Gracias a sus estudios, usted ya tiene un conocimiento básico del vocabulario y el idioma inglés. Estos conocimientos formarán la base del progreso que realizará al estudiar con este volumen. Como Rafael, pronto se dará cuenta de que desenvolverse en inglés en todo tipo de situaciones no es tan difícil como parecía en un principio.

El Volumen 11 de **Inglés sin Barreras** contiene los siguientes elementos:

- Un video.
  El video contiene las siguientes secciones:
  1   *Una Aventura en Dos Mil Palabras*
  2   *Preguntas y respuestas*

- El audiocasete número 11 del *Curso en audiocasetes*.
  El suéter verde perdido
  En el consultorio del doctor

- Un manual titulado *Una Aventura en Dos Mil Palabras*.
  Este manual contiene las siguientes secciones:
  1   Una introducción con instrucciones de estudio
  2   Resúmenes de lo que transcurre en cada capítulo del video
  3   Descripción de los objetivos didácticos de cada sección
  4   Transcripciones de todos los diálogos en inglés con notas
      a pie de página, y su correspondiente traducción al español

- Un cuaderno de ejercicios

Una Aventura en Dos Mil Palabras. Los capítulos

La película *Una aventura en dos mil palabras* consta de nueve capítulos. A continuación encontrará un breve resumen del contenido de cada capítulo y de sus objetivos educativos.

Capítulo Uno : Nuevos amigos

Identificaciones personales y presentaciones. Verónica enseña a Rafael a presentarse y a hacer nuevos amigos.

Capítulo Dos : Perdido en la ciudad

Pidiendo direcciones y usando el transporte público. Rafael se pierde intentando llegar a casa de Verónica.

Capítulo Tres: De compras

De compras en un centro comercial. Rafael compra ropa y regalos para sus amigos.

Capítulo Cuatro : Un buen trabajo

Encontrando trabajo y haciendo entrevistas. Rafael pasa la prueba y consigue un buen puesto de trabajo.

Capítulo Cinco : Enamorándose

Situaciones sociales y actividades de tiempo libre. Rafael sale con la muchacha que le gusta.

Capítulo Seis : Cómo adquirir un auto

Comprando un auto y financiando dicha compra. Rafael compra su primer auto.

Capítulo Siete : De mudanza

Encontrando una vivienda adecuada a un precio razonable. Revisando un contrato de arrendamiento. Rafael se encuentra con un amigo mientras busca

un apartamento.

Capítulo ocho : La escuela
Información acerca de oportunidades educativas. Matriculándose en un centro de enseñanza. Rafael descubre que nunca es demasiado tarde para aprender.

Capítulo nueve : Todos juntos
Viviendo en Estados Unidos. Rafael sorprende a sus amistades con su progreso y planes para un futuro mejor. Al final, Rafael hace que su madre conozca a una persona muy especial en su vida y le muestra todo lo que ha aprendido.

Cada capítulo contiene una sección de explicaciones, una sección de vocabulario y una sección de diálogos.

1   Las explicaciones
Verónica y Rafael se reúnen para hablar de las experiencias y aventuras de Rafael en su vida diaria. En este segmento, Verónica enseña a Rafael frases y vocabulario en inglés y le explica diferentes costumbres y aspectos de la vida en Estados Unidos.

2   El vocabulario
En esta sección usted tendrá la oportunidad de repasar y repetir el vocabulario que Verónica le acaba de enseñar a Rafael.

3   Los diálogos
Siga las aventuras de Rafael en Los Angeles, California, mientras va por primera vez a una fiesta norteamericana, se presenta a una entrevista de trabajo, se pierde intentando ir a casa de Verónica, le compra un perfume a la muchacha que le gusta o sale en busca de un nuevo apartamento.

Ésta es la única parte del video que tiene escenas en inglés. Este manual contiene transcripciones y traducciones al español de todos los diálogos en inglés. Consúltelo siempre que le resulte difícil comprender la escena o cuando se encuentre con una palabra que desconoce.

Introducción

¡Ojo!
No olvide seguir cada diálogo cuidadosamente ya que parte del vocabulario está explicado por los mismos personajes. Además, la traducción en español de algunas palabras o frases se ha hecho literalmente para que comprenda mejor el funcionamiento de este interesante idioma.

Nota importante...

Al fijarse en el contenido de cada capítulo, comprobará que éstos siguen muy de cerca el material que se cubrió en los volúmenes anteriores de Inglés sin Barreras. Esperamos que este volumen y la historia de Rafael le sirvan también de muestra de lo sencillo que resulta hablar y hacerse entender utilizando el inglés que ya conoce. Rafael no habla un inglés perfecto (lo cual resultará evidente al leer la traducción en español) y usted, a estas alturas, seguramente tampoco. Lo importante es que usted, como él, sabe lo suficiente para comunicarse. No se avergüence de cometer errores ni tema hacer el ridículo.

Lo importante es hablar inglés cada vez que le sea posible para ir adquiriendo gradualmente mayor soltura y seguridad a la hora de comunicarse en inglés.

Introducción

Cómo estudiar con este volumen

Como el resto del curso de **Inglés sin Barreras**, este volumen puede utilizarse de la manera y forma que usted juzgue más provechosa. Si usted ha desarrollado un sistema de estudios que le resulta cómodo y adecuado a su estilo de vida, siéntase libre de descartar o adaptar el siguiente plan de estudios. Recuerde que lo siguiente son únicamente sugerencias.

1 **Repaso.** Dedique 5 minutos a repasar el material que estudió el día anterior.

> No tiene por qué repasar cinco minutos exactos. Quizás le basten dos minutos, o quizás no sienta que domina el material por completo y prefiera emplear toda la sesión para repasar el material del día anterior. Recuerde, usted es quien decide.

2 **Familiarícese con el contenido.** Vea todo el capítulo que desea estudiar para familiarizarse con su contenido.

3 **Explicaciones.** Regrese la cinta y vea la sección de Explicaciones. Puede detener la cinta cuantas veces quiera para repetir lo que dice Verónica o para consultar con su manual o diccionarios. Vea esta sección por lo menos tres veces.

4 **Vocabulario.** Repita cada palabra o frase que aparece en la pantalla cuantas veces sea necesario hasta que su pronunciación se asemeje lo más posible a la que escucha en el video. Puede detener la cinta o apretar el botón de "Pausa" en su video.

5 **Diálogos.** Escuche cada diálogo en su totalidad al menos tres veces sin consultar el manual. Luego compare el video con el manual para asegurarse de que entendió correctamente.

6 **Practique lo aprendido.** Recuerde que aprender inglés es igual que aprender un oficio: la práctica hace al maestro.

7 **Repaso Final.** Una vez que haya completado los 9 capítulos de ***Una Aventura en Dos Mil Palabras***, vea otra vez la película entera. Como la película dura unos 90 minutos, y quizás usted quiera detenerse de vez en cuando, le recomendamos que divida este paso en dos o más sesiones. Asegúrese de que domina el vocabulario y entiende todos los diálogos en inglés.

Recuerde que el texto en inglés incluye notas a pie de página para comprender mejor el diálogo de la película. Después de cada palabra o frase escogida verá un pequeño número. Cada número corresponde a una nota a pie de página. Abajo, observará la palabra o frase repetida, además de su significado o modo de empleo. También verá varias categorías entre paréntesis ( ). Estas categorías corresponden a nuestra explicación acerca de dicha palabra o frase. Ésta es la guía de las categorías:

Literal = Traducción literal (Se refiere al significado palabra por palabra.)

Coloquial = Coloquialismo (frase o palabra de uso informal o común)

Gramatical = Error gramatical (Uso indebido de una palabra o frase)

Introducción

Al concluir el último paso, usted, Rafael y Verónica habrán llegado juntos al final de un largo camino. Se habrán enfrentado a muchas situaciones nuevas y aprendido el lenguaje necesario para desenvolverse en ellas. Esperamos que se sienta orgulloso de sí mismo. Su vocabulario en inglés totaliza ya más de 2000 palabras; 2000 palabras cuidadosamente seleccionadas por su utilidad y por ser las de uso más común; 2000 palabras que usted ya sabe pronunciar, escribir y utilizar correctamente; 2000 palabras que le permiten adentrarse en esa gran aventura que es hablar un segundo idioma.

Resumen

En este capítulo, Rafael, un joven costarricense que trabaja como mesero en un restaurante del centro de Los Angeles, conoce a Verónica, una joven actriz que se ha ofrecido a ayudarle a mejorar su inglés. Acuerdan reunirse una vez por semana y elegir una situación que Rafael quiera dominar. Por sugerencia de Verónica, deciden que después de cada sesión, para que practique, Rafael intentará desenvolverse en inglés en la vida real. El primer desafío de Rafael será presentarse a amigos de Verónica en un asado, donde hace nuevos amigos y se entera de un posible trabajo. Después del asado, Rafael y Verónica se reúnen nuevamente para hablar de cómo le fue a Rafael.

Objetivo

El objetivo de este capítulo es enseñarle a interactuar con los americanos en una forma socialmente apropiada. Al finalizarlo, usted será capaz de:

- Presentarse

- Presentar a otras personas

- Finalizar una conversación cortésmente

- Dar información adicional sobre sí mismo.

- Solicitar información adicional de otras personas

> **¡Ojo!**
> La traducción al español es literal y puede sonar un poco extraña en castellano. Esto se ha hecho con el propósito de facilitar su entendimiento del texto en inglés.

Nuevos amigos

1. El asado

Joe: *Ah, hola. ¿Cómo estás? Es bueno verte.*

Verónica: *Ah, hola. Es lindo verte. Este es mi amigo Rafael.*

Joe: *Hola, Rafael, ¿cómo te va? Es lindo conocerte.*

Rafael: *Bien. Es lindo conocerte.*

Verónica: *Le estoy ayudando a aprender inglés.*

Joe: *Tú mencionaste eso antes. Me alegro de que estés aprendiendo.*
¿Cómo te está yendo? ¿Te está yendo bien?

Rafael: *Sí, bueno.*

Joe: *Eh, ¿de dónde eres, Rafael?*

Rafael: *Soy de Costa Rica.*

Joe: *¿De qué parte?*

Rafael: *San José, la capital de Costa Rica.*

Joe: *Ah, sí. ¿Creciste allí?*

Rafael: *Sí.*

Joe: *Muy bien, muy bien. ¿Cómo te gusta hasta ahora? ¿Cómo estás disfrutando de los Estados hasta ahora?*

Rafael: *Ah, ¿qué dice, Verónica? No le entendí muy bien.*

Joe: *Tienes que enseñarle eso.*

Verónica: *Sí, sí.*

1. The barbecue

Joe: Oh, hi. How are you? [*It is*] Good[1] to see you.

Veronica: Oh, hi. [It is] Nice to see you. This is my friend Rafael.

Joe: Hi, Rafael, how do you do? Nice to meet you.

Rafael: Fine, [it is] nice to meet you.

Veronica: I'm helping him learn English.

Joe: You mentioned that before. I'm glad that you're learning. *How is it going*?[2] Is it going well?

Rafael: Yes, *good*[3].

Joe: Huh, where are you from, Rafael?

Rafael: I'm from Costa Rica.

Joe: What part?

Rafael: San Jose, the capital of Costa Rica.

Joe: Oh, *yeah*[4]. You grew up there?

Rafael: Yeah.

Joe: Very good, very good. How do you like it *so far*?[5] How do you enjoy the *States*[6], so far?

Rafael: *Ah, ¿qué dice, Verónica? No le entendí muy bien.*

Joe: You've got to teach him that.

Veronica: Yeah, yeah.

---

1 good: (gramatical) Debe ser "It is good".
2 How is it going?: (literal) ¿Cómo va yendo?; (coloquial)= ¿cómo te va?
3 good: (gramatical) Debe ser "fine" o "well" en este caso.
4 Yeah: (coloquial) Forma de "yes"= sí, menos formal.
5 so far: (literal) Tan lejos;= equivalente a "hasta ahora"/ "Por ahora".
6 States: (literal) Estados; (coloquial) forma de "United States"= Estados Unidos.

1 Nuevos amigos

Joe:	*El tiene que aprender cómo responder a eso.*
Rafael:	*Yo necesito más...más práctica.*
Joe:	*Más. Un montón más de práctica. Absolutamente, muy bien.*
Rafael:	*Ella me dijo que sólo, sólo inglés.*
Joe:	*Sólo inglés, eso está correcto.*
Verónica:	*Sólo inglés.*
Joe:	*No, eso es correcto, sólo inglés. De esa manera practicas. Aprendes. Muy bien, muy bien.*
Verónica:	*Está bien. Bueno, yo los veré más tarde, muchachos. Te veré más tarde. Voy a salir y agarrar algo para beber.*
Joe:	*Está bien.*
Verónica:	*Está bien.*
Joe:	*Bueno. Le presentaré a Rafael a algunas personas mientras tú estás haciendo eso. ¿Está bien?*
Verónica:	*Está bien.*

2. Más amigos

Joe:	*Pasa por aquí, Rafael.*
Rafael:	*Está bien, gracias.*
Joe:	*¿Cómo estás? Este es Rafael. El es un amigo de Verónica.*
Eric:	*Hola, Rafael. Yo soy Eric. ¿Cómo estás?*
Rafael:	*Bien, gracias. Es lindo conocerte.*
Liz:	*Es lindo conocerte.*

Joe:	He has to learn how to respond to that.
Rafael:	I need more...more practice.
Joe:	More. A lot of practice. Absolutely, very good.
Rafael:	She told me that only, English.
Joe:	Only English, that's right.
Veronica:	Only English.
Joe:	No, that's correct, only English. That way you practice. You learn. Very good, very good.
Veronica:	O.K. Well, I will see you *guys*[7] later. I will see you later. I'm going to step outside and *grab*[8] something to drink.
Joe:	O.K.
Veronica:	O.K.
Joe:	All right. I'll introduce Rafael to some people while you're doing that. O.K.?
Veronica:	O.K.

2. More friends

Joe:	Come through here, Rafael.
Rafael:	O.K., thank you.
Joe:	How are you? This is Rafael. He is a friend of Veronica's.
Eric:	Hi, Rafael. I'm Eric. How are you?
Rafael:	Fine, thank you. [It is] Nice to meet you.
Liz:	[It is] Nice to meet you.

---

7   guys: (coloquial)= Muchachos.
8   grab: (literal) Agarrar; (coloquial) forma de "get"= conseguir.

Rafael:	*Es lindo conocerte.*
Mary:	*Hola.*
Rafael:	*Yo soy Rafael, de Costa Rica.*
Eric:	*¿Cuánto tiempo hace que estás aquí?*
Rafael:	*Casi dos años.*
Liz:	*¿Trabajas aquí?*
Rafael:	*Sí, trabajo como mesero en el centro de L.A.*
Eric:	*¿Qué tipo de restaurante es?*
Rafael:	*Es mexicano. Comida mexicana.*

3. Donna

Verónica:	*Rafael, ven aquí. Quiero que conozcas a alguien. Esta es Donna. Donna y yo fuimos juntas a la escuela. Donna, éste es Rafael, mi amigo de Costa Rica.*
Rafael:	*Hola, Donna. Es lindo conocerte.*
Donna:	*Es lindo conocerte, Rafael. Escucho que Verónica aquí te está enseñando inglés.*
Rafael:	*Sí, ella me está ayudando.*
Donna:	*Ah, ella te está ayudando con tu inglés. ¿Quieres sentarte?*
Verónica:	*Discúlpenme. Voy a volver a entrar a la casa.*
Rafael:	*Gracias.*
Donna:	*¿Tú eres de Costa Rica?*

Rafael:	[It is] Nice to meet you.
Mary:	Hi.
Rafael:	I'm Rafael, from Costa Rica.
Eric:	How long have you been here?
Rafael:	Almost two years.
Liz:	Do you work here?
Rafael:	Yeah, I work as a waiter in downtown *L.A.*[9]
Eric:	What kind of restaurant is it?
Rafael:	It's Mexican. Mexican food.

3. Donna

Veronica:	Rafael, come here. I want you to meet somebody. This is Donna. Donna and I went to school together. Donna, this is Rafael, my friend from Costa Rica.
Rafael:	Hi, Donna. [It is] Nice to meet you.
Donna:	[It is] Nice to meet you, Rafael. I hear Veronica here is teaching you English?
Rafael:	Yeah, she is helping me.
Donna:	Oh, she is helping you with your English. Do you want to sit down?
Veronica:	Excuse me, I'm going to go back into the house.
Rafael:	Thank you.
Donna:	You're from Costa Rica?

---

9   LA: (coloquial) = Los Angeles.

Rafael: *Sí, soy de San José.*

Donna: *Ah.*

Rafael: *La capital de Costa Rica.*

Donna: *Pues, ¿cuánto hace que estás aquí?*

Rafael: *Casi dos años.*

Donna: *Dos años.*

Rafael: *Sí. ¿Eres de aquí? ¿En Los Angeles?*

Donna: *No, no, no, yo soy de una pequeña ciudad chica cerca de Dallas, Texas.*

Rafael: *Texas.*

Donna: *Ajá. Pero he estado aquí tres meses ahora.*

Rafael: *Tres meses.*

Donna: *Sí.*

Rafael: *No conozco a muchas, muchas personas aquí. Creo que por mi mal inglés. Necesito un poco más de práctica.*

Donna: *Sí, bueno tal vez puedas ayudarme con mi español, porque mi español no es bueno. ¿Y yo te ayudaré con tu inglés?*

Rafael: *Está bien, eso es bueno.*

Donna: *Está bien, ¿eso estaría bien?*

Rafael: *Sí. ¿Tú eres de Texas?*

Donna: *Ajá, pero mis padres son de México.*

Rafael: *¿De México?*

Rafael: Yeah, I'm from San Jose.

Donna: Ah.

Rafael: The capital of Costa Rica.

Donna: So, how long have you been here?

Rafael: Almost two years.

Donna: Two years.

Rafael: Yeah. Are you from here? *In*[10] Los Angeles?

Donna: No. No, no, I'm from a little *small*[11] city near Dallas, Texas.

Rafael: Texas.

Donna: *Uh-huh*[12]. But I've been here three months now.

Rafael: Three months.

Donna: Yeah.

Rafael: I don't know many, many people here. I think *for*[13] my bad English. I need a little more practice.

Donna: Yeah, well maybe you can help me with my Spanish because my Spanish is not good. And I'll help you with your English?

Rafael: O.K., that's good.

Donna: O.K., would that be good?

Rafael: Yeah. You're from Texas?

Donna: Uh-huh, but my parents are from Mexico.

Rafael: From Mexico?

---

10 in: (gramatical) Debe ser "from" = de.
11 small: (literal) Pequeño(a); (gramatical) es redundante por que ya usó "little", que significa lo mismo.
12 uh-huh: Equivalente a "Ajá" en español, menos formal que "yes" = sí.
13 for: (gramatical) Debe ser "because of" = a razón de.

Donna: *Ajá. Ambos.*

Rafael: *Sabes que "tree", "tree" en español: árbol.*

Donna: *Ajá.*

Rafael: *Arbol.*

Donna: *Yo sabía eso porque mi abuela, cuando yo era una niña pequeña, ella solía enseñarme español.*

Rafael: *Ah.*

Donna: *Entonces, ella, ella—Yo recuerdo unas pocas palabras, tú sabes. No muchas, sólo...*

Rafael: *En mi país, esto, aguacate. Es bueno para ensaladas...*

Donna: *¿Aguacate?*

Rafael: *Aguacate, sí.*

Donna: *¿Aguacate? Sí, a eso le llamamos "avocado" aquí.*

Rafael: *¿Avocado?*

Donna: *Ajá.*

Rafael: *Ah.*

Donna: *Sí. Ah, es tan lindo allí, ¿eh?*

Rafael: *Sí, muy bonito. Es hermoso.*

Donna: *Muy bonito.*

Donna: Uh-huh. Both of them.

Rafael: Do you know that "tree", "tree" in Spanish: "*árbol*".

Donna: Uh-huh.

Rafael: *Arbol*.

Donna: I knew that because my grandmother, when I was a little girl, she used to teach me Spanish.

Rafael: Oh.

Donna: So, she, she — I remember a few words, you know. Not a lot, just...

Rafael: In my country, this *[is called]* [14] "*aguacate*". [It] Is [15] good for salads...

Donna: *Aguacate*?

Rafael: *Aguacate*, yeah.

Donna: *Aguacate*? Yeah, we call that here "avocado".

Rafael: Avocado?

Donna: Uh-huh.

Rafael: Oh.

Donna: Yeah. Oh, it's so pretty there, huh?

Rafael: Sí, "*muy bonito*". It's beautiful.

Donna: *Muy bonito*.

---

14 this: (gramatical) Debe ser "this is called" = se llama.
15 is: (gramatical) Debe ser "it is".

4. Una referencia de trabajo

John: *Hola, no creo que nos hayamos conocido.*
Yo soy John.

Rafael: *Hola, John. Yo soy Rafael.*

John: *Es lindo conocerte, Rafael.*

Rafael: *Es lindo conocerte.*

John: *Este es un magnífico lugar para un asado, ¿no es así?*

Rafael: *Sí, fantástica vista.*

John: *Sí. Escucha, ¿cómo conoces a los Anderson?*

Rafael: *¿Quiénes?*

John: *Tú sabes, Ron y Marge.*

Rafael: *Yo no conozco a nadie aquí. Soy amigo de Verónica.*

John: *Ah, sí.*

Rafael: *Ella me invitó a que viniera con ella.*

John: *La conozco de la clase de actuación.*

Rafael: *Sí. ¿Tú eres actor también, o...?*

John: *Bueno, para serlo.*

Rafael: *Discúlpame. No comprendo.*

John: *Para serlo. Quiere decir, yo quiero ser actor. Estoy trabajando en ser actor.*

Rafael: *Ah.*

4. A work reference

John: Hi, I don't believe that we've met. I'm John.

Rafael: Hi, John. I'm Rafael.

John: [It is] Nice to meet you, Rafael.

Rafael: [Is is] Nice to meet you.

John: This is a great place for a barbecue, isn't it?

Rafael: Yes, fantastic view.

John: Yeah. Listen, how do you know *the Andersons*?¹⁶

Rafael: Who?

John: You know, Ron and Marge.

Rafael: I don't know anyone here. I'm a friend of Veronica's.

John: Oh, yeah.

Rafael: She invited me to *come along*¹⁷.

John: I know her from acting class.

Rafael: Yeah, are you an actor too, or...?

John: Well, *would be*¹⁸.

Rafael: Excuse me, I don't understand.

John: Would be. Means, I want to be an actor. I'm working at being an actor.

Rafael: Oh.

---

16 the Andersons: (literal) Los Andersons (en inglés se usa el apellido de una familia en plural. Asi, Ron y Marge Anderson se convierten en "los Andersons").

17 come along: (literal) Venir con [ella].

18 would be: (literal) Sería; = referente a que es un principiante con anhelos de serlo.

John: *Un actor buscando trabajo, tú sabes.*

Rafael: *Ah, yo estoy buscando trabajo también.*

John: *¿Sí? Bueno, Los Angeles es un lugar bastante duro para encontrar un trabajo, ¿no es así?*

Rafael: *Sí, yo trabajando como mesero en el centro de L.A. Pero yo quiero un trabajo mejor.*

John: *¿En serio? ¿Qué quieres hacer?*

Rafael: *Bueno, me gustaría, tú sabes, chofer. Un chofer de camión. Tengo experiencia.*

John: *Sabes, yo tengo un amigo que tiene una panadería y él siempre está buscando buenos conductores para su servicio de entrega. Apostaría a que si le dieras una llamada, probablemente te contrataría.*

Rafael: *Ah, gracias.*

John: *Oye, ¿tienes un pedazo de papel a mano?*

Rafael: *Sí.*

John: *Te daré su número y... y cuando lo llames... dile... asegúrate de decir hola, y que John te dijo que lo llamaras.*

Rafael: *Gracias, John. Yo aprecio esto.*

John: *Buena suerte.*

Rafael: *Gracias.*

John: *No hay problema.*

John: An actor looking for work, you know.

Rafael: Oh, I'm looking for work, too.

John: Yeah? Well, Los Angeles is a pretty hard place to find a job, isn't it?

Rafael: Yeah, I [*am*]¹⁹ working as a waiter in downtown L.A. But I want a better job.

John: Really? What do you want to do?

Rafael: Well, I'd like to, you know, driver. A truck driver. I have experience.

John: You know, I have a friend who has a bakery, and he is always looking for good drivers for his delivery service. *I'll bet*²⁰ that if you gave him a call, he'd probably hire you.

Rafael: Oh, thank you.

John: Listen, do you have a piece of paper *handy*?²¹

Rafael: Yeah.

John: I'll give you his number and... And when you call him...tell him... make sure to say hi, and... John told you to call him.

Rafael: Thank you, John. I appreciate it.

John: Good luck.

Rafael: Thank you.

John: No problem.

---

19   I: (gramatical) Debe ser "I am" = yo soy / estoy.
20   I'll bet: (literal) Apostaría.
21   handy: (literal) manual; (coloquial) a la mano.

2 Notas

Resumen

En este capítulo, Rafael y Verónica comienzan a preparar la entrevista de trabajo de Rafael. Debido a la falta de confianza en su habilidad para hablar y entender inglés, Rafael está nervioso de tener que ir a una zona desconocida para la entrevista. Después de una breve discusión sobre cómo orientarse, Rafael y Verónica toman un café en una cafetería del centro de Los Angeles. Verónica aprovecha para enseñar a Rafael algunas frases claves para pedir direcciones y algunos trucos para entenderlas. Luego le pide a Rafael que se las arregle para llegar él sólo hasta su casa utilizando el transporte público y pidiendo direcciones únicamente en inglés. Al final del capítulo, Rafael le cuenta Verónica que quiere practicar y aprender más sobre cómo hacer compras en inglés.

Objetivo

El objetivo de este segmento es ayudarle a pedir direcciones en inglés. Al final de este capítulo, usted será capaz de:

- Pedir direcciones para caminar de un punto a otro.

- Utilizar el transporte público.

- Pedir que le repitan información que no ha entendido.

- Comprender las frases comúnmente usadas para dar direcciones.

- Dar direcciones a otros.

> **¡Ojo!**
> La traducción al español se ha hecho aquí literal y puede sonar un poco extraña en castellano. Esto se ha hecho con el propósito de facilitar su entendimiento del texto en inglés.

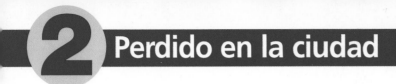

1. Direcciones

Rafael: *Discúlpeme, señor, ¿puede decirme cómo llegar al Ayuntamiento?*

Hombre No.1: *El Ayuntamiento, veamos ... Déjeme ver si puedo recordar, aquí. Está bien, ¿ve el edificio grande negro aquí abajo?*

Rafael: *Sí.*

Hombre No.1: *Vaya hacia abajo alrededor de cuatro o cinco cuadras. Después de ese edificio grande negro, haga una izquierda. Bien, ésa será la Calle Sexta. Y baje por la Calle Sexta una cuadra, luego tome una derecha. Y verá este gran banco, es un edificio blanco, y después de eso, será alrededor de, ah, otras dos cuadras y estará sobre la mano derecha de la calle y no puede fallar. Está allí mismo.*

Rafael: *Está bien. Gracias, señor. Discúlpeme señor. ¿Puede decirme dónde está el Ayuntamiento?*

Hombre No.2: *Eh, Sí. Si va a la Primera ... Calle Primera aquí ... y va a la izquierda. Es el 100, 100 Calle North Hope. ¿Está bien?*

Rafael: *Está bien.*

Hombre No.2: *Vaya a la Calle Primera haga una izquierda, vaya a la Calle Hope haga una derecha. Está justo en la esquina.*

Rafael: *Gracias, señor.*

Hombre No.2: *Sí, ajá.*

Rafael: *Discúlpeme, ¿puede decirme cómo llegar al Ayuntamiento?*

Mujer No.1: *¿El Ayuntamiento? Es ese edificio grande allí mismo.*

Rafael: *Discúlpeme, señor, ¿puede decirme qué autobús tomar para ir a Pasadena?*

1. Directions

Rafael: Excuse me, sir, can you tell me how to get to City Hall?

Man #1: City Hall, let's see... Let me see if I can remember, here. O.K., see the big black building down here?

Rafael: Yes.

Man #1: Go down about four or five blocks. After that big black building, make a left. O.K., that will be Sixth Street. And you go down Sixth Street for one block, then take a right. And then you'll see this big bank, it's a white building, and after that, it'll be around, oh, another two blocks and it'll be on the right hand side of the street and, you can't miss it. It's right there.

Rafael: O.K. Thank you sir. Excuse me, sir. Can you tell me where City Hall is?

Man #2: Uh, yes. If you go to First... First Street here... and go left. It's 100, 100 North Hope Street. O.K.?

Rafael: O.K.

Man #2: Go to First Street make a left, go to Hope Street make a right. It's right on the corner.

Rafael: Thank you, sir.

Man #2: Yeah, uh-huh.

Rafael: Excuse me, can you tell me how to get to City Hall?

Woman #1: City Hall? It's that big building right there.

Rafael: Excuse me sir, can you tell me which bus to take to go to Pasadena?

Hombre No.3: *Es el 487.*

Rafael: *¿Necesito cambiar de autobús?*

Hombre No.3: *No lo creo.*

Rafael: *Gracias, señor.*

Man #3:   It's the 487.

Rafael: Do I need to change buses?

Man #3:   I don't believe so.

Rafael: Thank you, sir.

3 Notas

Resumen

En esta unidad del video, Rafael y Verónica van de compras a una tienda de departamentos. Verónica enseña a Rafael frases que le resultarán útiles y luego los dos se separan para cada uno hacer compras por su cuenta. Rafael se compra un par de zapatos y unos pantalones. También compra un regalito para Donna, la muchacha que conoció en el asado, y una rosa para Verónica para agradecerle toda su ayuda.

Objetivo

El objetivo de este capítulo es darle a usted la práctica y fluidez necesarias para hacer compras en inglés. Al final de esta unidad, usted será capaz de:

- Utilizar el vocabulario básico para hacer compras.
- Solicitar ayuda para encontrar lo que busca.
- Preguntar precios.
- Distinguir entre las diferentes formas de pago.

¡Ojo!
La traducción al español se ha hecho aquí literal y puede sonar un poco extraña en castellano. Esto se ha hecho con el propósito de facilitar su entendimiento del texto en inglés.

3 De compras

1. Con Verónica

Verónica: *Hola. Eh, ¿puede ayudarme? Estoy buscando un obsequio para mi amiga, para su cumpleaños.*

Mujer No.1: *Tenemos estos lindos sombreros con popurrí adentro y cinta de paja. Tenemos distintos colores también.*

Verónica: *¿Qué tal algo así? ¿Esto viene en otro color?*

Mujer No.1: *Viene en otros dos colores, durazno y malva.*

Verónica: *Bien. Eso está bien. Me llevaré el durazno.*

Mujer No.1: *Bueno. ¿Cómo quisiera pagar por él?*

Verónica: *En efectivo.*

Mujer No.1: *Bueno. Yo lo llevaré hasta la terminal por usted.*

2. El almacén de zapatos

Rafael: *Discúlpeme, ¿está libre para ayudarme?*

Hombre No.1: *Hola, ¿cómo está usted? ¿Qué tipo de ayuda necesita?*

Rafael: *Necesito un par de zapatos para una entrevista de trabajo.*

Hombre No.1: *¿Una entrevista de trabajo? ¿Va a llevar puesto un traje de negocios o simplemente va a presentarse informal?*

Rafael: *Sólo para un trabajo.*

Hombre No. 1: *Para una entrevista de trabajo, bien. Tenemos estas selecciones aquí. Yo le sugeriría algo como esto. Es cómodo y no es tan pesado. Esto es algo que tenemos. Normalmente cuesta cuarenta dólares.*

Rafael: *¿Este viene en otro color?*

Hombre No.1: *No, ése es el único color en que viene. ¿Le gustaría probarse un par?*

Rafael: *¿Puedo tener el otro?*

1. With Veronica

Veronica: Hi. Ah, can you help me? I'm looking for a gift for my *girlfriend*[22], for her birthday.

Woman #1: We've got these nice hats with potpourri inside and straw ribbon. We have different colors, too.

Veronica: How about something like this? Does this come in another color?

Woman #1: Comes in two other colors, peach and mauve.

Veronica: O.K. That's fine. I'll take the peach one.

Woman #1: All right. How would you like to pay for it?

Veronica: Cash.

Woman #1: All right. I'll take it up to the terminal for you.

2. The shoe store

Rafael: Excuse me, are you free to help me?

Man #1: Hi, how are you doing? What kind of help do you need?

Rafael: I need a pair of shoes for a job interview.

Man #1: A job interview? Are you going to be wearing a business suit or are just going to come in casual?

Rafael: Just for a job.

Man #1: For a job interview, O.K. We have these selections right here. I would suggest something like this. It's comfortable and it's not that heavy. This is something that we have. It's regularly forty dollars.

Rafael: Does this come in another color?

Man #1: No, that's the only color it comes in. Would you like to try a pair on?

---

22 girlfriend: (literal) Niña amiga; = novia (también suele usarse simplemente como amiga entre mujeres).

Hombre No. 1: *Seguro. Venga aquí, por favor. Tengo uno aquí. ¿Ve? De hecho, es éste que está aquí. ¿Y quisiera venir aquí y sentarse y nos los podemos probar?*

Rafael: *Está bien.*

Hombre No. 1: *Tome asiento. Bien. Colóquese éste.*

Rafael: *El otro.*

Hombre No. 1: *Está bien. ¿Quiere probarse el otro zapato?*

Rafael: *Sí.*

Hombre No. 1: *Usted sabe, es buena idea llevar puestos ambos zapatos. De ese modo usted puede ver como se sienten. Quizá uno no se siente tan cómodo como el otro. Bueno. Párese y vea como se siente eso.*

Rafael: *Está bien.*

Hombre No. 1: *¿Eso se siente bien?*

Rafael: *Sí.*

Hombre No. 1: *Bien.*

Rafael: *Cuarenta dólares, ¿correcto?*

Hombre No. 1: *Sí, cuarenta dólares. ¿Quiere pagar esto en su cuenta de Mervyn's?*

Rafael: *¿Disculpe?*

Hombre No. 1: *¿Una tarjeta de crédito? ¿Tarjeta de crédito de la tienda? O, ¿será en efectivo?*

Rafael: *Sí, en efectivo.*

Hombre No. 1: *Será en efectivo. Está bien.*

Rafael:	Can I get the other one?
Man #1:	Sure. Come over here, please. I have one over here. See? In fact, this is the one right here. And would you like to come over here and sit down and we can try them on?
Rafael:	O.K.
Man #1:	Have a seat. O.K. *Slip*[23] this on.
Rafael:	The other one.
Man #1:	All right. You want to try on the other shoe?
Rafael:	Yes.
Man #1:	You know, it's a good idea to wear both shoes. That way you *can tell*[24] how it feels. Maybe one doesn't feel as comfortable as the other. O.K. Stand up and see how that feels.
Rafael:	It's O.K.
Man #1:	It feels all right?
Rafael:	Yes.
Man #1:	O.K.
Rafael:	Forty dollars, right?
Man #1:	Yeah, forty dollars. Would you like to pay this on your *Mervyn's*[25] charge?
Rafael:	Excuse me?
Man #1:	A credit card? Store credit card? Or is it going to be cash?
Rafael:	Yeah, cash.
Man #1:	It's going to be cash, O.K.

---

23 slip: (literal) Deslizarse; = referente a ponerse algo (zapatos, etc.).
24 can tell:(literal) Poder decir; = poder ver, sentir.
25 Mervyn's: Tienda muy conocida en EE.UU.

37

3. Pantalones

Rafael: *Discúlpeme, ¿puede ayudarme?*

Mujer No. 2: *Seguro, ¿con qué puedo ayudarlo?*

Rafael: *Necesito dos par de pantalones para una entrevista de trabajo.*

Mujer No. 2: *Está bien. ¿Qué talla de pantalones usa?*

Rafael: *Treinta y treinta.*

Mujer No. 2: *Está bien. ¿Qué estilo le gustaría? ¿Qué color? ¿Tiene algún color que le gustaría?*

Rafael: *¿Puede traer otro color?*

Mujer No. 2: *Seguro, como, tenemos gris aquí. Tenemos gris y tenemos el beige aquí, o tenemos negro. Tenemos todos los tipos. ¿Tiene alguna preferencia?*

Rafael: *Creo que éste.*

Mujer No. 2: *¿Éste? Está bien.*

Rafael: *¿Cuánto es esto?*

Mujer No. 2: *Estos son veintiocho dólares.*

Rafael: *¿Veintiocho dólares?*

Mujer No. 2: *Ajá.*

3. Pants

Rafael: Excuse me, can you help me?

Woman #2: Sure, what can I help you with?

Rafael: I need *two*[26] pair of slacks for a job interview.

Woman #2: O.K. What size pants do you wear?

Rafael: *Thirty and thirty*[27].

Woman #2: O.K. What style would you like? What color? Do you have a color you would like?

Rafael: Can you get another color?

Woman #2: Sure, like, we have gray here. We have gray and we have the beige over here, or we have black. We have all kinds. Do you have any preference?

Rafael: I think, this [*one*][28].

Woman #2: This one? O.K.

Rafael: How much is this?

Woman #2: These are twenty-eight dollars.

Rafael: Twenty-eight dollars?

Woman #2: Uh-huh.

---

26 two: (gramatical) Debe ser "a" = un (un par).
27 thirty and thirty: (literal) Treinta y treinta; = se refiere al largo y cintura, en pulgadas.
28 this: (gramatical) Debe ser "this one".

4. El departamento de perfumes

Rafael: ¿Puede ayudarme, por favor?

Mujer No. 3: Sí, por supuesto. ¿Con qué puedo ayudarlo? ¿Esto es para usted o es para un obsequio? Tenemos colonias, tenemos perfumes, tenemos geles para baño, tenemos estuches de regalo, hasta tenemos eau de toilettes. Tenemos lociones.

Rafael: Perfume.

Mujer No.3: Perfume, le gusta el perfume. ¿Esto es un regalo entonces?

Rafael: Perfume.

Mujer No.3: Sí, está bien. Ahora, ¿qué tipo de perfume le gustaría? Tenemos muchos tipos diferentes. Tenemos fragancias de tipo muy floral. Tenga. ¿Por qué no prueba ésta? Esa está buena ¿no es así? Tenemos incluso fragancias que son más para el verano, algunas para el invierno, algunas con una fragancia al almizcle. Tenga. ¿Por qué no prueba ésta? Esta está muy buena. Ahora, ¿para quién es esto? ¿Esto es—? ¿Esto es para una amiga o es para una novia? ¿Su madre? ¿O...?

Rafael: Una amiga.

Mujer No. 3: Para una amiga. Está bien. Entonces, ella probablemente será más o menos de su edad, entonces probablemente usted querrá algo joven de verdad. ¿Y cómo es ella?

Rafael: Necesito que me ayude. Necesito su asistencia.

Mujer No. 3: Está bien, está bien. Bueno, tal vez esto le ayudará. ¿Y sobre el nivel de precios? ¿Sabe dentro de qué nivel de precios le gustaría...?

Rafael: ¿Cuánto es éste?

Mujer No.3: Este es cincuenta dólares.

4. The perfume department

Rafael: Can you help me please?

Woman #3: Yes, of course. What can I help you with? Is this for yourself or is this a gift? We have colognes, we have perfumes, we have bath gels, we have gift boxes, we even have eau de toilettes. We have lotions.

Rafael: Perfume.

Woman #3: Perfume, you like perfume. So this is a gift, then?

Rafael: Perfume.

Woman #3: Yes, O.K. Now, what type of perfume would you like? We've got many different types. We have very *flowery*[29] type fragrances. Here, why don't you try this? That's a nice one, isn't it? We even have fragrances that are more for the summer, some for the winter, some that are more musky scents. Here, why don't you try this one? This one's very nice. Now, who is this for? Is this— Is this for a friend or is it a girlfriend? Your mother? Or...?

Rafael: A friend.

Woman #3: For a friend. O.K. So, she is probably around your age, so you probably want something *really*[30] young. And what is she like?

Rafael: I need you to help me. I need your assistance.

Woman #3: O.K., O.K. Well, maybe this will help you. How about the price range? Do you know what price range you'd like to...?

Rafael: How much is this?

Woman #3: This one is fifty dollars.

---

29 flowery: (literal) floreadas; = referente al olor a flores.
30 really: (literal) Realmente; = de verdad, muy.

Rafael: *No sé ...*

Mujer No. 3: *Ahora, esto es para una amiga, ¿no es así?*

Rafael: *Sí, para una amiga.*

Mujer No.3: *Creo que tengo algo que probablemente le gustaría de verdad. No tengo un frasco de muestra aquí afuera, así que no podré rociarle un poco a usted. Pero éste es rico de verdad. Este me gusta mucho. Recién nos llegó. Y, tenga, huélalo.*

Rafael: *Ah, es bueno.*

Mujer No.3: *¿Le gusta ése? Pensé que le gustaría.*

Rafael: *¿Cuánto es éste?*

Mujer No.3: *Pues éste es diecinueve noventa y cinco.*

Rafael: *¿Discúlpeme?*

Mujer No.3: *Diecinueve noventa y cinco.*

Rafael: *Diecinueve noventa y cinco.*

Mujer No.3: *Sí. Será–Con impuesto, será un poquito más de veinte dólares. ¿Eso está bien?*

Rafael: *Está bien.*

Mujer No.3: *¿Entonces le gusta éste?*

Rafael: *Sí, éste.*

Mujer No.3: *Creo que ésta es una buena elección. A ella realmente le gustará mucho.*

Rafael: *Está bien.*

Rafael: I don't know...

Woman #3: Now, this is for a friend, isn't it?

Rafael: Yeah, for a friend.

Woman #3: I think I have something that you might really like. I don't have a *tester*[31] out here, so I won't be able to spray some on you. But this is really nice. I like this a lot. We just got this in. And, here, smell it.

Rafael: Oh, it's good.

Woman #3: You like that? I thought you'd like it.

Rafael: How much is this?

Woman #3: Now this one is nineteen ninety-five.

Rafael: Excuse me?

Woman #3: Nineteen ninety-five.

Rafael: Nineteen ninety-five.

Woman #3: Yeah. It'll be... With tax, it'll be a little bit over twenty dollars. Is that O.K.?

Rafael: O.K.

Woman #3: So you like this one?

Rafael: Yeah, this one.

Woman #3: I think this is a good choice. She'll really like it a lot.

Rafael: O.K.

---

31 tester: (literal) Probador; = frasco de muestra para perfumes.

Mujer No.3: *¿Cómo quiere pagar por esto? ¿Quiere pagar en efectivo, en cheque o a crédito?*

Rafael: *Efectivo*

Mujer No.3: *¿Efectivo?*

Rafael: *Efectivo.*

Mujer No.3: *Está bien, efectivo. Y pues, será un poquito por arriba de veinte, ¿Está bien? Con impuesto.*

Woman #3: How do you want to pay for this? Do you want to pay cash, check or charge?

Rafael: Cash.

Woman #3: Cash?

Rafael: Cash.

Woman #3: O.K., cash. And so, it'll be a little bit over twenty, O.K.? With tax.

4 Notas

Resumen

En este capítulo, Verónica y Rafael hablan sobre su futura entrevista de trabajo. Verónica enfatiza la importancia de que Rafael cause buena impresión en la entrevista. Además, le da algunos consejos útiles sobre la vestimenta y lenguaje adecuados en una entrevista de trabajo. También le recuerda que dicha entrevista supone una oportunidad para informarse sobre el puesto de trabajo. A continuación, Rafael acude a la entrevista para el trabajo de ayudante en una panadería y consigue el puesto.

Objetivo

El objetivo de este capítulo es ayudarle a usted a funcionar con mayor eficacia en el mundo laboral angloparlante. Al finalizarlo, usted será capaz de realizar una entrevista de trabajo en inglés.

¡Ojo!

La traducción al español se ha hecho aquí literal y puede sonar un poco extraña en castellano. Esto se ha hecho con el propósito de facilitar su entendimiento del texto en inglés.

1. La entrevista

Rafael: *Buenos días. Yo soy Rafael Chinchilla. Vengo por la entrevista de trabajo como cargador. ¿Está aquí el Sr. Santi?*

Sr. Santi: *Pasa. Por favor siéntate.*

Rafael: *Buenos días, Sr. Santi. Yo soy Rafael Chinchilla.*

Sr. Santi: *Sí. Hola, Rafael. Es lindo conocerte.*

Rafael: *Es lindo conocerlo.*

Sr. Santi: *Veo aquí en tu solicitud que eres de Costa Rica.*

Rafael: *Sí, soy de Costa Rica.*

Sr. Santi: *¿Cuánto hace que estás en Los Angeles?*

Rafael: *Casi dos años.*

Sr. Santi: *Casi dos años. Bueno, ¿estás trabajando actualmente?*

Rafael: *Sí, trabajo como mesero en el centro de L.A.*

Sr. Santi: *¿Cuáles son tus aptitudes?*

Rafael: *Bueno, sé cómo conducir un camión.*

Sr. Santi: *Ah, tienes algo de experiencia conduciendo.*

Rafael: *Sí.*

Sr. Santi: *¿Tienes licencia de chofer?*

Rafael: *Sí, pero de mi país.*

Un buen trabajo 4

1. The interview

Rafael:	Good morning, I'm Rafael Chinchilla, I come for the job interview as a loader. Is Mr. Santi here?
Mr. Santi:	Come in. Please sit down.
Rafael:	Good morning, Mr. Santi. I'm Rafael Chinchilla.
Mr. Santi:	Yeah. Hi, Rafael. Nice to meet you.
Rafael:	Nice to meet you.
Mr. Santi:	I see here from your application that you're from Costa Rica.
Rafael:	Yes, I'm from Costa Rica.
Mr. Santi:	How long have you been in Los Angeles?
Rafael:	Almost two years.
Mr. Santi:	Almost two years. Well, are you currently working?
Rafael:	Yes, I work as a waiter in downtown L.A.
Mr. Santi:	What are your qualifications?
Rafael:	Well, I know how to drive a truck.
Mr. Santi:	Oh, you have some driving experience.
Rafael:	Yeah.
Mr. Santi:	Do you have a driver's license?
Rafael:	Yeah, but from my country.
Mr. Santi:	Oh, well let me tell you something about the job that you applied

Sr. Santi: *Ah, bueno. Déjame decirte algo sobre el trabajo para el que te has presentado. Es trabajo duro, ¿está bien? Requiere que tú entregues bolsas de harina de cien libras. En un día, puedes hacer ciento cincuenta bolsas. Tú sabes, no es el trabajo más fácil del mundo. Quería que supieras esto desde un principio.*

Rafael: *Creo para mí no es problema, Sr. Santi. Yo trabajo duro.*

Sr. Santi: *¿Por qué quieres dejar tu trabajo actual?*

Rafael: *Bueno, porque quiero algo mejor para mí y para mi familia y estoy buscando un salario mejor.*

Sr. Santi: *Porque, tú sabes, somos una compañía joven y tratamos de encontrar gente que va a venir y quedarse aquí. ¿Piensas que te quedarías aquí si te diera el trabajo?*

Rafael: *Seguro. Aprendo extremadamente rápido. Sr. Santi, ¿le importa si le hago algunas preguntas sobre el trabajo?*

Sr. Santi: *No, adelante.*

Rafael: *¿Tendré que trabajar tiempo extra?*

Sr. Santi: *Somos una compañía que pone énfasis en el servicio. A veces es posible que un cliente llame y quiera una entrega a las cinco o las seis en punto de la noche porque necesita producto para hacer su pan diario al día siguiente. Sí, a veces tal vez tengas que trabajar tiempo extra.*

Rafael: *¿La empresa provee algún entrenamiento en el trabajo para empleados?*

Sr. Santi: *No en este momento. Sentimos que el trabajo, especialmente el que tú estarás haciendo ahora, es bastante básico, y*

for. It's hard work, O.K? It requires you to deliver hundred-pound sacks of flour. In a day's time you may do one hundred and fifty bags. You know, it's not the easiest job in the world. I wanted you to know that *up front*[32].

Rafael: I think [*that*][33] for me is *no*[34] problem, Mr. Santi. I'm a hard worker.

Mr. Santi: Why do you want to leave your present job?

Rafael: Well, because I want something better for me and for my family, and I'm looking for a better salary.

Mr. Santi: Because, you know, we are a young company and we try to find people that are going to come in and stay here. Do you think you would stay here if I gave you the job?

Rafael: Sure. I learn extremely quickly. Mr. Santi, do you mind if I ask a few questions about the job?

Mr. Santi: No, *go right ahead*[35].

Rafael: Am I required to work *overtime?*[36]

Mr. Santi: We are a company that stresses service. Sometimes a customer may call and want a delivery at five or six o'clock at night because he needs product to make his daily bread the next day. Yes, sometimes you may have to work over-time.

Rafael: Does the company provide any *on-the-job*[37] training for employees?

Mr. Santi: Not at this time. We feel that the job, especially the one you will be doing now, is pretty basic, and you should be able to *pick it up*[38] within a short period of time. So we don't feel that there is any

---

32   up front: (literal) Al frente; = desde un principio.
33   I Think: (gramatical) Debe ser "I think that".
34   is no: (gramatical) Debe ser "it would not be a" = no va a ser un.
35   oo right ahead: (literal) ve derecho adelante; = referente a que continúe o que tiene permiso.
36   Overtime: (literal) Sobre tiempo; = referente a trabajar horas extras.
37   on-the-job: (literal) en el trabajo; = referente a recibir entrenamiento a medida que se está trabajando con sueldo.

---

38   pick it up: (literal) Recogerlo; (coloquial) = aprenderlo.

deberías poder aprenderlo
dentro de un corto período de tiempo. Entonces no sentimos que haya
ningún entrenamiento necesario. Si, en el futuro, si eso cambia, podremos
considerarlo.

Rafael: *¿Cuál es el salario inicial del trabajo?*

Sr. Santi: *Bueno, para el trabajo de ayudante, que es para el que te estás presentando,*
es el sueldo mínimo. Ahora, si pudieras hacer algo acerca de tu licencia
de conducir, podríamos estar hablando de un montón más de dinero.
Pero, tú sabes, para eso, de todo lo que estamos hablando es de sueldo
mínimo. Tú sabes, otra vez, quiero asegurarme de que comprendes de
qué se trata el trabajo y de que sí lo quieres.

Rafael: *¿Y acerca de los beneficios? ¿Incluye seguro médico para mí*
y mi familia?

Sr. Santi: *Sí, hay seguro médico para ti. Ahora, el seguro médico para tu*
familia es opcional, lo que requiere un cargo mínimo para ti.
Una pregunta, tengo cerca de otras diez personas viniendo hoy
a presentarse para el mismo trabajo. ¿Por qué sientes que debería
dártelo a ti?

Rafael: *Bueno, pienso que soy, soy joven para esta compañía. Soy un duro*
trabajador, confiable, energético y soy bueno para reparar equipos.

Sr. Santi: *Un hombre hábil, ¿eh?*

Rafael: *Sí. Me llevo bien con la gente.*

Sr. Santi: *Bueno, necesitarás hacer eso en este trabajo porque algunos de nuestros*
clientes no son de lo mejor.

Rafael: *Bien, Sr. Santi.*

training needed. If, in the future—If that changes, we may, we may consider that.

Rafael: What is the starting salary of the job?

Mr. Santi: Well, for the helper's job, which is what you are applying for, it's minimum wage. Now, if you could do something about your driving license, we could be talking a lot more money. But, you know, for that, all we are talking about is minimum wage. You know, again, I want to make sure that you understand what the job's about and that you do want it.

Rafael: And what about the benefits? [*do they*] Include³⁹ medical *coverage*⁴⁰ for me and my family?

Mr. Santi: Yes, there is medical coverage for yourself. Now, the medical coverage for your family is optional, which requires a minimal charge to you. One question, I have about another ten people coming over today to apply for the same job. Why do you feel I should give it to you?

Rafael: Well, I think that I'm, young for this company. I'm a hardworking, trustworthy, energetic and I'm good to *fix*⁴¹ equipment.

Mr. Santi: A handyman, huh?

Rafael: Yeah. I get along well with people.

Mr. Santi: Well, you'll need to do that in this job, because some of our customers are not the greatest.

Rafael: O.K., Mr. Santi.

Mr. Santi: I'll tell you what, you seem like a nice young fellow. We'll start

---

39   include: (gramatical) Debe ser "do they include".
40   coverage: (literal) Cobertura; = referente al seguro médico, etc.
41   to fix: (gramatical) Debe ser "at fixing"= arreglando.

Un buen trabajo

Sr. Santi: *Te diré qué, pareces un buen muchacho. Comenzaremos contigo como ayudante. Si alguna vez decides seguir adelante y obtener tu licencia de conducir, te probaremos en el trabajo de chofer. Eso paga mucho más. Entonces, seguiremos adelante y comenzaremos contigo el lunes y espero con anticipación verte.*

Rafael: *Gracias, Sr. Santi.*

Sr. Santi: *Bien.*

you off as a helper. If you ever decide to go ahead and get your driver's license, we'll ***give you a shot***[42] at the driver's job. That pays a lot more. So, we'll go ahead and start you off Monday, and ***I look forward***[43] to seeing you.

Rafael: Thank you, Mr. Santi.

Mr. Santi: All right.

---

42 give you a shot: (literal) Vamos a darte un disparo; (coloquial) = referente a darle una oportunidad/ probar a alguien o algo.
43 look forward: (literal) Miro hacia adelante; = Espero con anticipación.

5 Notas

Resumen

Rafael le trae a Verónica buenas noticias. Por sugerencia de ella, ha decidido obtener una licencia de conducir para conseguir un mejor trabajo. Después de tomar el examen, Rafael planea solicitar trabajo como conductor de la compañía para la cual trabaja y así ganar un mejor salario. Tras despedirse de Verónica, Rafael se detiene a llamar por teléfono a Donna, la joven que conoció en el asado, y hace una cita con ella para encontrarse en el muelle de Santa Mónica. Después de una sesión con Verónica sobre el lenguaje que debe usar en su cita, Rafael se encuentra con Donna. Rafael y Donna pasean por el muelle y luego almuerzan en un restaurante, donde hablan sobre sus gustos y sobre lo que planean hacer el resto del día. Rafael sugiere que den un paseo por la playa. Luego, tal vez, vayan a ver una película.

Objetivo:

El objetivo de este capítulo es ayudarle a interactuar socialmente con americanos, hacer amistades y buscar intereses en común con ellos. Al final de este segmento, usted será capaz de:

- Concertar citas sociales por teléfono.
- Saludar a las personas y despedirse apropiadamente.
- Discutir detalles de su vida personal.
- Hacer y responder preguntas sobre sus gustos.
- Hacer y aceptar invitaciones.

> **¡Ojo!**
> La traducción al español se ha hecho aquí literal y puede sonar un poco extraña en castellano. Esto se ha hecho con el propósito de facilitar su entendimiento del texto en inglés.

1. La llamada

Rafael: *¿Hola, Donna? Hola, éste es Rafael Chinchilla. No sé si me recuerdas, pero te conocí hace algunas semanas en el asado. Sí, en Sun Valley. Me diste tu número de teléfono y dijiste que podría llamarte alguna vez.*

Donna: *Sí, Rafael, seguro que te recuerdo. Yo dije que te iba a ayudar con tu inglés. ¿Cómo te va?*

Rafael: *Bien, ¿y tú qué tal?*

Donna: *Oh, yo estoy bien también. Ha hecho un tiempo hermoso, ¿no es cierto?*

Rafael: *Sí, seguro. Escucha, yo me estaba preguntar si tú estás haciendo algo el sábado.*

Donna: *Bueno, no tenía ningún plan especial. ¿Qué tenías en mente?*

Rafael: *Bueno, tal vez podemos ir a la playa y, tú sabes, y luego conseguir algo para comer y divertirnos, tú sabes...*

Donna: *Sí, eso suena magnífico.*

2. La playa

Donna: *¿Pues qué has estado haciendo desde la última vez que te vi?*

Rafael: *Bueno, conseguí un trabajo.*

Donna: *Bien.*

Rafael: *Saqué, tú sabes, mi licencia de chofer.*

Donna: *Ah, magnífico.*

Rafael: *Fui de compras, compré zapatos, pantalones y*

1. The call

Rafael: Hello, Donna? Hi, this is Rafael Chinchilla. I don't know if you remember me, but I met you a few weeks ago at the barbecue. Yeah, in *Sun Valley*[44]. You *give*[45] me your phone number and said that I could call you sometime.

Donna: Yeah, Rafael, sure I remember you. I said I was going to help you with your English. How are you doing?

Rafael: Fine, what about you?

Donna: Oh, I'm fine, too. It's been beautiful weather, hasn't it?

Rafael: Yes, sure has. Listen, I was *wonder*[46] if you were doing anything Saturday.

Donna: Well, I didn't have any special plans. What did you have in mind?

Rafael: Well, maybe we can go to the beach and, you know, and, then get something to eat and have fun, you know...

Donna: Yeah, that sounds great.

2. The beach

Donna: So what have you been doing since I last saw you?

Rafael: Well, I got a job.

Donna: Good.

Rafael: I got, you know, my driver's license.

Donna: Oh, great.

Rafael: I went shopping, I bought some shoes, slacks and I bought a present for a friend.

---

44 Sun Valley: (literal) Valle del Sol; = Nombre de una ciudad de California.
45 give: (gramatical) Debe ser "gave" = pasado de dar.
46 wonder: (gramatical) Debe ser "wondering" = preguntándome (a mi mismo).

compré un obsequio para una amiga.

Donna: *Ah, eso es lindo.*

Rafael: *Y, esto es para ti.*

Donna: *¿Para mí? Bueno, gracias. ¿Puedo abrirlo y olerlo?*

Rafael: *Seguro. La señora me dijo que es una marca nueva.
No es demasiado caro, pero ...*

Donna: *No me importa eso.*

Rafael: *Huélelo.*

Donna: *Ah, eso está lindo, ¿no?*

Rafael: *Sí.*

Donna: *Gracias. Pues, ¿cómo está Verónica? ¿Cómo se están llevando ustedes?*

Rafael: *Bueno, ella decidió presentarme a un concejal.*

Donna: *¿Lo hizo?*

Rafael: *Y ella me ayudó, me ayudo con mi inglés, tú sabes. Especialmente con mi
entrevista de trabajo.*

Donna: *Eso está bien.*

Rafael: *Sí. ¿Y qué has estado haciendo desde que nos vimos por última vez?*

Donna: *Conseguí el trabajo. ¿Recuerdas que te conté sobre el trabajo que quería
como maestra?*

Rafael: *Sí.*

Donna: *Sí, pues, estoy enseñando a estos niños de tercer año.*

Donna:	Oh, that's nice.
Rafael:	And this is for you.
Donna:	For me? Well, thank you. Can I open it and smell it?
Rafael:	Sure. The lady told me that it's a new brand. It's not too expensive, but...
Donna:	I don't care about that.
Rafael:	Smell it.
Donna:	Oh, that's nice, isn't it?
Rafael:	Yeah.
Donna:	Thank you. So, how's Veronica? How are you guys getting along?
Rafael:	Well, she decided to introduce me with a councilman.
Donna:	She did?
Rafael:	And she helped me. She helped with my English, you know. Especially with my job interview.
Donna:	That's good.
Rafael:	Yeah. And what have you been doing since we last met?
Donna:	I got the job. Remember I told you about the job I wanted as a teacher?
Rafael:	Yeah.
Donna:	Yeah, so, I'm teaching these *third-graders*[47].

---

47 third-graders: (literal) Tercergradistas; = referente a los alumnos de tercer año de primaria.

Rafael:	*Ah, muy bien.*
Donna:	*Sí.*
Rafael:	*¿Te sientes como ir algo para comer?*
Donna:	*Sí, eso sería lindo.*
Rafael:	*Está bien, vamos.*
Donna:	*Está bien, seguro.*

3. El restaurante

Rafael:	*¿Y tú qué vas a pedir, Donna?*
Donna:	*Ah, no sé. ¿Qué quieres tú?*
Rafael:	*Yo estoy bastante hambriento. Creo que pediré el bistec, papas fritas y té helado.*
Donna:	*Ah, a mí no me gusta tanto la carne.*
Rafael:	*¿Y qué tal el pescado? Es bastante bueno aquí.*
Donna:	*Ah, ¿de verdad? Está bien, bueno, entonces quiero la ensalada de mariscos.*
Rafael:	*¿Ensalada de mariscos?*
Donna:	*Ajá.*
Rafael:	*¿Y qué de beber?*
Donna:	*Pediré una soda dietética.*
Rafael:	*Una soda dietética. Está bien.*
Mesera:	*Hola, ¿cómo está usted?*
Rafael:	*Bien, ¿y usted?*

Rafael: Oh, very good.

Donna: Yeah.

Rafael: Do you feel like going [*to get*]⁴⁸ something to eat?

Donna: Yeah, that would be nice.

Rafael: O.K., let's go.

Donna: O.K., sure.

3. The restaurant

Rafael: And what [*will*] you⁴⁹ **have,**⁵⁰ Donna?

Donna: Oh, I don't know. What are you going to have?

Rafael: I'm pretty hungry. I think I'll have the steak, fries and iced tea.

Donna: Oh, I don't like meat that much.

Rafael: What about fish? It's pretty good here.

Donna: Oh, really? O.K., well, then I'll have the seafood salad.

Rafael: Seafood salad?

Donna: Uh-huh.

Rafael: And what about to drink?

Donna: I'll have a diet soda.

Rafael: A diet soda. O.K.

Waitress: Hello, how are you?

Rafael: Fine, and you?

48   going: (gramatical) Debe ser "going to get"= ir a obtener.
49   you: (gramatical) Debe ser "will you"= vas a.
50   have: (literal) Tener; = en este caso se refiere a pedir o querer de comer.

5 Enamorándose

Mesera: *Excelente. ¿Puedo tomar su orden ahora?*

Rafael: *Seguro, nosotros queremos una ensalada de mariscos, soda dietética. Yo quiero un filete con papas fritas a la francesa y té helado, por favor.*

Mesera: *¿Le gustaría ese filete medio, o medio rojo?*

Rafael: *Medio, por favor. Pues, Donna, cuéntame más sobre ti. ¿Qué tipo de cosas te gusta hacer?*

Donna: *Bueno, supongo que yo soy bastante promedio. Quiero decir, me gusta ir al cine, me gusta bailar. Me gusta escuchar música.*

Rafael: *¿Qué tipo de películas te gustan?*

Donna: *Me gustan las comedias. Pero a veces me gustan las que asustan. Tú sabes, como las de terror.*

Rafael: *Sabes, estoy de humor para películas románticas.*

Donna: *Bueno, sí, a mí me gustan las películas románticas también.*

Rafael: *¿Y qué hay de los deportes? Me gustaría ir a un juego de béisbol.*

Donna: *Ah, deportes. Bueno, a mí de verdad no me gustan tanto los deportes, tú sabes. Yo... yo me aburro cuando lo veo en televisión. El... béisbol, fútbol... Yo no lo comprendo.*

Rafael: *Ah, yo iba a sugerir que fuéramos a un juego de béisbol más tarde. Es un gran juego, béisbol.*

Donna: *Bueno, si quieres. Yo sólo—Yo preferiría ir a ver una película o ir a bailar.*

Rafael: *Podemos hacer ambas cosas.*

Donna: *¿De verdad? ¿Qué quieres decir?*

Waitress: Great. Can I take your order now?

Rafael: Sure, we'll have a seafood salad, diet soda. I'm going to have a steak with French fries and iced tea, please.

Waitress: Would you like that steak *medium*[51] or medium *rare*?[52]

Rafael: Medium, please. So, Donna, tell me more about yourself. What kind of things do you like to do?

Donna: Well, I guess I'm pretty average. I mean, I like to go to the movies, I like dancing. I like to listen to music.

Rafael: What kind of movies do you like?

Donna: I like comedies. But sometimes I like the scary ones. You know, like the horror ones.

Rafael: You know, I'm in the mood for romantic movies.

Donna: Well, yeah, I like romantic movies, too.

Rafael: What about sports? I feel like going to a baseball game.

Donna: Oh, sports. Well, I don't really like sports that much, you know. I... I get bored when I watch it on television. The... baseball, football... I don't understand it.

Rafael: Oh, I was going to suggest that we go to a baseball game later on. It's a great game, baseball.

Donna: Well, if you want. I just—I would rather go see a movie or go dancing.

Rafael: We can do both.

Donna: Really? What do you mean?

---

51 medium: (literal) Medio; = referente al modo de cocer la carne término medio.
52 rare: (literal) Raro; = referente al modo de cocer la carne poco o roja.

5 Enamorándose

Rafael:	*Bueno, hay una práctica de béisbol todas las tardes cerca, cerca de aquí. ¿Qué tal, si vamos allí? Puedo explicar tú algunas de las reglas y luego podemos ir al cine.*
Donna:	*Ah, bueno. Está bien, entonces supongo que podemos tocarlo por oído entonces.*
Rafael:	*¿Qué es eso?*
Donna:	*Tocarlo por oído. Esa es una expresión que tú usas, como, sólo para ver cómo te sientes.*
Rafael:	*Ah. Te dejaré elegir la película, ¿está bien?*
Donna:	*Está bien, ése es un trato.*
Rafael:	*¿Y qué ahora? ¿Te sientes como para ir a dar una caminata en la playa?*
Donna:	*Sí, eso suena como divertido.*
Rafael:	*Bueno. Déjame pagar la cuenta.*
Donna:	*Ah, no, no, no. Vamos a la holandesa.*
Rafael:	*¿Qué?*
Donna:	*Sí, a la holandesa. Eso significa que yo pago mitad y tú pagas la mitad.*
Rafael:	*¿De verdad?*
Donna:	*Sí, me gusta compartir.*
Rafael:	*Está bien, gracias. Vamos a la holandesa.*

Rafael: Well, there is a baseball practice every afternoon nearby, nearby here. How about, how about going there? I can *explain [to]*[53] you some of the rules and then we can go to the movies.

Donna: Oh, O.K. All right, well then I guess we can just *play it by ear*[54] then.

Rafael: What's that?

Donna: Play it by ear. That's an expression that you use, like, just to see how you feel.

Rafael: Oh. I'll let you pick the movie, O.K.?

Donna: O.K., that's a deal.

Rafael: What about now? Do you feel like going for a walk on the beach?

Donna: Yeah, that sounds like fun.

Rafael: O.K. Let me pay the check.

Donna: Oh, no, no, no. Let's go Dutch.

Rafael: What?

Donna: Yeah, dutch. That means I pay half and you pay half.

Rafael: Really?

Donna: Yeah, I like to share.

Rafael: O.K., thanks. Let's go dutch.

---

53 explain: (gramatical) Debe ser "explain to"= explicar.
54 play it by ear: (literal) Tocarlo por oído; (coloquial) = hacer algo no planeado.

6 Notas

Resumen

Verónica ayuda a Rafael a comprar un auto usado, incluyendo cómo averiguar posibles problemas con el auto y cómo financiar la compra.

Objetivo

Al final de este capítulo, usted será capaz de hacer y contestar preguntas relacionadas con compras mayores tales como la compra de un automóvil.

¡Ojo!
La traducción al español se ha hecho aquí literal y puede sonar un poco extraña en castellano. Esto se ha hecho con el propósito de facilitar su entendimiento del texto en inglés.

6 Cómo adquirir un auto

1. Decisiones

Vendedor: *Aquí hay un auto lindo, Rafael. Es un Taurus. Es de transmisión automática, tiene interior de cuero y es un auto de cuatro puertas. A propósito, ¿prefieres uno de cuatro puertas o uno de dos puertas, Rafael?*

Rafael: *Creo que cuatro puertas es mejor.*

Vendedor: *De cuatro puertas es mejor para ti, está bien. Y, ¿prefieres un color claro o un color oscuro?*

Rafael: *Oscuro, oscuro.*

Vendedor: *Oscuro, bueno, aquí está uno azul lindo. Es también un Taurus y de transmisión automática. Y, ah, ¿puedo hacerte esta pregunta, Rafael?*

Rafael: *Sí, señor.*

Vendedor: *¿Qué hay en tu presupuesto, en cuanto concierne a un pago mensual ... que tú puedas manejar?*

Rafael: *Bueno, Paul, todo lo que tengo en el banco ahora son dos mil dólares.*

Vendedor: *Bueno...*

Rafael: *¿Sabe qué, Paul? Yo realmente estoy en el mercado para, creo, un auto usado.*

Vendedor: *Un auto usado, está bien.*

Rafael: *Porque...*

1. Decisions

Salesman: Here is a nice car, Rafael. It's a *Taurus*[55].
It's automatic transmission, it's got a
leather interior and it's a four-door car.
By the way[56], do you prefer a four-door
or a two-door, Rafael?

Rafael: I think four doors is better.

Salesman: Four-door is better for you, O.K. And, do
you prefer a light color
or a dark color?

Rafael: Dark, dark.

Salesman: Dark. Well, here's a nice blue. It's also a Taurus and automatic
transmission. And, ah, can I ask you this question, Rafael?

Rafael: Yes, sir.

Salesman: What's in your budget, as far as a monthly payment is concerned?
...That you can handle?

Rafael: Well, Paul, all I have in the bank now is two thousand dollars.

Salesman: Well...

Rafael: You know what, Paul? I'm really *in the market* [57] for, I think,
a used car.

Salesman: A used car, O.K.

Rafael: Because...

---

55 Taurus: = Modelo de automóvil de la casa Ford.
56 by the way: (literal) Por el [mismo] camino; = a propósito, hablando de este tema.
57 in the market: (literal) En el mercado; = referente a estar de compras por un artículo específico de
    ciertas cualidades y precio.

Vendedor: *Tengo un lindo "ochenta y ocho" y dos lindos "ochenta y sietes". Dos mil dólares funcionarían muy lindo para ti y, en lo que concierne a un pago mensual, estoy seguro que puedo conseguirlo en donde el presupuesto no estará sufriendo demasiado.*

Rafael: *¿Y, qué, piensa sobre los pagos mensuales?*

Vendedor: *Bueno, el pago mensual. ¿Cuánto hay en tu presupuesto dedicado al pago mensual?*

Rafael: *Bueno ...*

Verónica: *Hola.*

Vendedor: *Hola.*

Rafael: *Hola, Verónica.*

Verónica: *¿Cómo estás?*

Rafael: *¿Cómo estás? ¿Bien?*

Verónica: *Sí, muy bien. Hola, mi nombre es Verónica.*

Vendedor: *Hola, yo soy Paul. Muy complacido de conocerla.*

Verónica: *Hola, Paul, es lindo conocerlo. ¿Qué estás haciendo?*

Rafael: *Tú sabes, yo necesito un auto, Verónica, y, pues, me vine acá a ver como—Si puedo comprarlo.*

Verónica: *¿Puede disculparnos por sólo un momento?*

Vendedor: *Seguro, ningún problema.*

Salesman: I've got one nice *"eighty-eight"*[58] and two nice "eighty-sevens." Two thousand dollars would work very nice for you and, as far as a monthly payment is concerned, I'm sure I can get it where the budget won't be hurting too much.

Rafael: And, what do you think about the monthly payments?

Salesman: Well, the monthly payment. How much is in your budget towards the monthly payment?

Rafael: Well...

Veronica: Hi.

Salesman: Hi.

Rafael: *Hola, Verónica.*

Veronica: *¿Cómo estás?*

Rafael: *¿Cómo estás? ¿Bien?*

Veronica: *Sí, muy bien.* Hi, my name is Veronica.

Salesman: Hi, I'm Paul, very pleased to meet you.

Veronica: Hi, Paul, nice to meet you. *¿Qué estás haciendo?*

Rafael: *Tú sabes, yo necesito un carro, Verónica, y, pues, me vine acá a ver como… si puedo comprarlo.*

Veronica: Can you excuse us for just one moment?

Salesman: Sure, no problem.

---

58 eighty-eight: (literal) Ochenta y ocho; = referente al año del vehículo.

7 Notas

Resumen

Verónica enseña a Rafael a encontrar un lugar donde vivir a un precio razonable. Rafael encuentra un apartamento de dos dormitorios que le gusta. Tras inspeccionar el apartamento y discutir el contrato de arrendamiento y otros detalles con el gerente del edificio, Rafael decide alquilar el apartamento.

Objetivo

El objetivo de este capítulo es ayudarle a practicar con el vocabulario y frases necesarias para encontrar una vivienda en un país de habla inglesa, ya sea ésta permanente o para pasar unas vacaciones. Al final de este capítulo, usted será capaz de:

- Encontrar apartamentos o casas de alquiler o venta en los periódicos u otras fuentes de información.

- Hacer preguntas apropiadas sobre la vivienda.

- Comprender mejor sus derechos y obligaciones como inquilino o propietario.

> **¡Ojo!**
> La traducción al español se ha hecho aquí literal y puede sonar un poco extraña en castellano. Esto se ha hecho con el propósito de facilitar su entendimiento d el texto en inglés.

1. Un nuevo Hogar

John: *... un apartamento de muestra. Así es como se vería uno de aquéllos entre los que pudieras elegir. Mencioné que vienen de una, dos y tres recámaras.*

Rafael: *Una, dos y tres recámaras.*

John: *Y los tenemos, como puedes ver, en el interior aquí o el exterior de frente a la calle o la ciudad.*

Rafael: *Ah, hay una piscina también.*

John: *La piscina no tiene agua aún. Tendrá agua en unas dos semanas.*

Rafael: *Dos semanas.*

John: *Y como puedes ver, hay un jacuzzi justo detrás de ella.*

Rafael: *Está bien. ¿Y qué del garaje? ¿Es para un auto o dos autos?*

John: *Con dos personas y uno de dos recámaras, podrías tener dos espacios en el garaje. Es abajo. Estacionamiento con acceso de seguridad para dos personas.*

Rafael: *Está bien, sí, porque tengo un amigo. El va a vivir conmigo.*

John: *¿Lo tienes? Maravilloso. Eso ayuda a pagar la renta entonces, ¿no? Bueno.*

Rafael: *Sí. Y, ¿cuántas habitaciones?*

John: *Bueno, tenemos la cocina, el comedor, las dos recámaras... dos baños y la sala, por supuesto. Entonces, eso es, ¿cuánto? Alrededor de siete habitaciones.*

Rafael: *Alrededor de siete. ¿Y cuánto es la renta?*

John: *La renta por—¿Lo quieres amueblado?*

1. A new Home

John: ... an example apartment. This is what one would look like that you could choose from. I mentioned that they come in one, two and three-bedroom.

Rafael: One, two and three bedrooms.

John: And we have them, as you can see, on the inside here or outside facing the street or the city.

Rafael: Oh, there's a pool, too.

John: The pool doesn't have water yet. It will have water in about two weeks.

Rafael: Two weeks.

John: And as you can see, there is a *jacuzzi*[59] right behind it.

Rafael: O.K. And what about the garage? Is *[it]*[60] for one car or two cars?

John: With two people and a two bedroom you could have two spaces in the garage. It's below, *secured access*[61] parking for two people.

Rafael: O.K., yeah, because I have a friend. He is going to live with me.

John: Do you? Terrific. That helps pay the rent then, doesn't it? Good.

Rafael: Yeah. And, how many rooms?

John: Well, we have the kitchen, the dining room, the two bedrooms... two baths and the living room, of course. So, that's what? ...about seven rooms.

Rafael: About seven. And how much is the rent?

John: The rent for— You want it furnished?

---

59 jacuzzi: = Piscina o alberca de remolinos para relajar los músculos.
60 is: (gramatical) Debe ser "is it" = es.
61 secured access: (literal) Acceso asegurado; = referente a que existe una puerta de seguridad.

Rafael: *Amueblado, sí.*

John: *Uno amueblado de dos recámaras es seis cincuenta.*
Discúlpame, seiscientos. Es cinco cincuenta sin amueblar.

Rafael: *Seiscientos y cinco cincuenta ...*

John: *Por uno sin amueblar, correcto.*

Rafael: *Está bien, me gustaría echarle una mirada a uno con balcón, dos recámaras y amueblado.*

John: *Está bien, echémosle una mirada a algunos de éstos que tenemos para mostrarte.*

2. El apartamento

John: *Aquí hay uno que pienso tal vez te guste. Como puedes ver, viene con el alfombrado gris sobre el que preguntaste. Viene con el balcón externo de frente a la ciudad. Tiene los muebles, tiene una cocina y tiene dos recámaras*

Rafael: *Está bien.*

John: *En la cocina, aquí, tiene el fregadero y espacio abundante en los armarios.*

Rafael: *¿Cuáles son los artefactos eléctricos?*

John: *Ah, los artefactos eléctricos son el horno y la cocina a gas.*
También tenemos el lavaplatos.

Rafael: *¿Y el refrigerador?*

John: *Ah, sí, tiene un refrigerador, nosotros te lo proveeremos.*

Rafael: *Está bien. ¿Y los servicios públicos están incluidos en la renta?*

John: *No, los servicios públicos son por separado.*

Rafael: *Por separado. Y, ¿cuánto?*

John: *Bueno, tienes gas, que cuesta generalmente treinta, treinta y cinco*

Rafael:	Furnished, yeah.
John:	A furnished two bedroom is six-fifty. Excuse me, six hundred. It's five-fifty for unfurnished.
Rafael:	Six hundred and five-fifty...
John:	For unfurnished, right.
Rafael:	O.K., I would like to take a look at one with a balcony, two bedrooms and furnished.
John:	O.K., let's take a look at some of these that we have to show you.

2. The apartment

John:	Here is one I think you might like. As you can see, it comes with the gray carpeting you asked about. It comes with the outside balcony facing the city. It has the furniture, it has a kitchen and it has two bedrooms.
Rafael:	O.K.
John:	In the kitchen here, it has the sink and plenty of closet space.
Rafael:	What are the appliances?
John:	Oh, the appliances are the gas oven and range. We also have the dishwasher.
Rafael:	And the refrigerator?
John:	Oh, yeah, it has a refrigerator, we'll supply it for you.
Rafael:	O.K., and are the utilities included with the rent?
John:	No, utilities are separate.
Rafael:	Separate. And how much?

dólares por mes, y la electricidad, que cuesta alrededor de cuarenta, cincuenta dólares por mes dependiendo de cuánto uses.

Rafael: ¿Cuarenta, eh? Casi cuarenta.

John: Sí. Ahora, ¿tienes alguna otra pregunta que no hayamos discutido?

Rafael: Sí, ¿puedes decirme los términos del contrato de renta?

John: Ah, seguro. El contrato de renta es la renta del primer mes y del último mes y un depósito de garantía. Y será en un giro bancario o giro postal. Puedes de hecho pagar eso, o escribir el cheque de caja a nombre de HMI. Apartmentos HMI. ¿Cuándo piensas que podrás mudarte?

Rafael: Yo pienso el próximo sábado.

John: El próximo sábado. Está bien, maravilloso. El próximo sábado será el primero. Procederé a apuntar eso. Eso significa, Rafael, que tu renta será pagadera el primero de cada mes. ¿Está bien? Si te atrasas, cinco días de atraso, una multa de cinco dólares por pago atrasado se agregará a tu cuenta.

Rafael: Cinco dólares. Está bien.

John: Y permíteme preguntarte, ¿tienes alguna otra pregunta?

Rafael: No, me gusta el apartamento un montón. Es un hermoso apartamento. Yo voy a tomarlo.

John: Sin duda lo es. ¿Alguna otra pregunta?

Rafael: No, está bien.

John: Maravilloso. Si sigues adelante y me firmas aquí. Bueno. Felicitaciones.

Rafael: Está bien, John. Gracias.

John: Well, you have gas, which *runs*[62] usually thirty, thirty-five dollars a month, and the electric, which runs about forty, fifty dollars a month depending on how much you use.

Rafael: Forty, ah? Almost forty.

John: Yeah. Now, do you have any other questions that we haven't covered?

Rafael: Yeah, can you tell me the terms of the rental agreement?

John: Oh, sure. The rental agreement is the first month and the last month rent and a security deposit. And it'll be in a cashier's check or money order. You can actually pay that, or make the cashier's check out to HMI here. HMI Apartments. When do you think you'll be able to move in?

Rafael: I t84hink *the*[63] next Saturday.

John: Next Saturday. O.K., terrific. Next Saturday will be *the first*[64]. I'll go ahead and mark that in. That means, Rafael, your rent will be due the first of every month. O.K.? If you're late, five days late, there'll be a five dollar late fee attached to your rent.

Rafael: Five dollars, O.K.

John: And let me ask you, do you have any other questions?

Rafael: No, I like the apartment a lot. It's a beautiful apartment. I'm going to take it.

John: It sure is. Any other questions?

Rafael: No, it's O.K.

John: Terrific. If you go ahead and sign here for me. Good. Congratulations.

Rafael: O.K., John. Thank you.

---

62 runs: (literal) Corre; = referente al costo.
63 the: (gramatical) Debe omitirse en este caso.
64 first: (literal) Primero; = referente al primer día del mes.

81

8 Notas

Resumen

En este capítulo, Rafael se orienta sobre las oportunidades educativas para adultos en los Estados Unidos. Con la ayuda de Verónica, buscará oportunidades de aprendizaje en un centro de educación para adultos.

Objetivo

En este capítulo, usted adquirirá el vocabulario inglés necesario para pedir información sobre oportunidades educativas en un centro de enseñanza, aprenderá a inscribirse en una clase o escuela y practicará su vocabulario mientras Rafael habla con los profesores o asesores sobre sus intereses.

¡Ojo!
La traducción al español se ha hecho aquí literal y puede sonar un poco extraña en castellano. Esto se ha hecho con el propósito de facilitar su entendimiento del texto en inglés.

8 La escuela

1. Información

Rafael: *Buenas tardes, señor.*

Empleado: *¿Puedo ayudarlo?*

Rafael: *Sí, yo quisiera hacer una cita con un asesor.*

Empleado: *Está bien. ¿Puede usted firmar el registro, por favor?*

Rafael: *¿Tiene usted una pluma?*

Empleado: *Sí.*

Rafael: *Gracias, señor.*

2. Asesoría

Rafael: *Quisiera información sobre los cursos que ustedes ofrecen.*

Asesor: *¿Ha visto nuestro programa de clases?*

Rafael: *Está bien. Quisiera inscribirme en un curso en programación de computadoras.*

Asesor: *Está bien. Las personas que quieren inscribirse en la clase de programación de computadoras deben tomar una prueba. En cuanto usted reciba los resultados puede inscribirse, en cuestión de una hora más o menos.*

Rafael: *Además, pienso que necesito más práctica con mi inglés.*

Asesor: *Nuevamente, hay una prueba requerida. En cuanto reciba los resultados puede inscribirse.*

Rafael: *Yo quisiera inscribirme en ESL, nivel 2.*

Asesor: *Nivel 2, muy bien. Dependiendo de cuál sea su resultado en cuanto al nivel,*

1. Information

Rafael:	Good afternoon, sir.
Clerk:	Can I help you?
Rafael:	Yes, I'd like to make an appointment with a counselor.
Clerk:	O.K., will you sign in, please.
Rafael:	Do you have a pen?
Clerk:	Yes.
Rafael:	Thank you, sir.

2. Counseling

Rafael:	I'd like to find out about the courses you offer.
Counselor:	Have you seen our class schedule?
Rafael:	O.K. I'd like to sign up for a course in computer programming.
Counselor:	O.K. People that want to sign up for the computer programming class must take a test. As soon as you get the results, you can sign up, within the hour or so.
Rafael:	Also, I think I need more practice with my English.
Counselor:	Again, there is a test required. As soon as you get the results you may sign up.
Rafael:	I'd like to enroll in *ESL*[65] level 2.
Counselor:	Level 2, O.K. Depending on what your score is on the level you'll be assigned to the proper level.

---

65 ESL: English as a Second Language = inglés como segundo idioma.

será asignado al nivel apropiado.

Rafael: *Está bien. Me interesa tener una copia de su catálogo, si tiene una.*

Asesor: *Seguro, tengo una aquí mismo. Si desea ojearlo y tener las descripciones de los cursos ...*

Rafael: *Está bien. ¿Puede decirme a qué hora se reúne este, este curso?*

Asesor: *Los cursos se reúnen generalmente de nueve a doce, y luego nuevamente en la tarde de una a tres treinta, y luego por las noches de siete a diez.*

Rafael: *Está bien, ¿y puede decirme cuánto cuesta este curso?*

Asesor: *Los cursos son gratis. El único gasto que tendría sería la compra de sus libros y materiales.*

Rafael: *Está bien, gratis.*

Asesor: *Generalmente gratis.*

Rafael: *¿Y usted puede decirme por qué [dónde] puedo inscribirme?*

Asesor: *Muy bien, necesita entrar y ser procesado, ser aceptado, tomar las pruebas apropiadas, y en espacio de una hora puede estar inscrito.*

Rafael: *Está bien. Gracias, señor.*

Asesor: *Está bien, seguro.*

Rafael: O.K., I'm interested in getting a copy of your catalog, if you have one.

Counselor: Sure, I have one right here. If you wish to *look it over*[66] and get the course descriptions...

Rafael: O.K. Can you tell me what time this, this course meets?

Counselor: Courses meet generally from nine to twelve, and then again in the afternoon from one to three-thirty, and then in the evenings from seven to ten.

Rafael: O.K., and can you tell me how much this course costs?

Counselor: The courses are free. The only expenses that you would have to incur would be buying your books and materials.

Rafael: O.K., free.

Counselor: Generally free.

Rafael: And can you tell me *why*[67] I need to enroll?

Counselor: O.K., you need to come in and get processed, get admitted, take the proper tests, and within the hour you may be enrolled.

Rafael: O.K. Thank you, sir.

Counselor: O.K., sure.

---

66 look it over: (literal) Mirarlo(a) por encima; = Ojear.
67 why: En realidad él quiere decir "where"= donde.

9 Notas

Resumen

En este capítulo final del video, vemos a Rafael celebrar lo bien que le ha ido con el inglés invitando a Verónica a una excursión a la Isla de Catalina. Una vez de regreso en Los Angeles, Rafael acompaña a Verónica a una boda. Allí se encuentra con viejos amigos y tiene oportunidad de hablar con ellos de sus experiencias y de su nueva vida en los Estados Unidos. Al final del capítulo, la madre de Rafael llega a visitarlo y se sorprende de lo bien que su hijo se desenvuelve en los Estados Unidos. La mamá de Rafael conoce a Verónica y a Donna.

Objetivo

En este capítulo final repasamos el lenguaje y vocabulario presentados en los capítulos anteriores.

> **¡Ojo!**
> La traducción al español se ha hecho aquí literal y puede sonar un poco extraña en castellano. Esto se ha hecho con el propósito de facilitar su entendimiento del texto en inglés.

1. La ceremonia matrimonial

Sacerdote: *Anthony, ¿tomarás a Patrice como tu esposa en unión? Para amarla, quererla y conferir continuamente sobre ella la devoción de tu corazón?*

Anthony: *Lo hago.*

Sacerdote: *Patrice, ¿tomarás a Anthony como tu esposo en unión? Para amarlo, quererlo y continuamente conferir sobre él la devoción más profunda de tu corazón?*

Patrice: *Lo hago.*

Sacerdote: *¿Por favor se tomarían las manos? Anthony, repite después de mí. Patrice, estás consagrada a mí ahora como mi esposa.*

Anthony: *Patrice, estás consagrada a mí ahora como mi esposa.*

Sacerdote: *Para amar, querer, tener y sostener.*

Anthony: *Para amar, querer, tener y sostener.*

Sacerdote: *En lo mejor, en lo peor, en la enfermedad y en la salud.*

Patrice: *En lo mejor, en lo peor, en la enfermedad y en la salud.*

Sacerdote: *En la tristeza y en la alegría.*

Patrice: *En la tristeza y en la alegría.*

Sacerdote: *Para compartir juntos mientras los dos vivamos.*

Patrice: *Para compartir juntos mientras los dos vivamos.*

Sacerdote: *Amén.*

1. The wedding ceremony

Priest: Anthony, will you take Patrice to be your wedded wife? To love, to cherish and to continually bestow upon her your heart's devotion?

Anthony: I do.

Priest: Patrice, will you take Anthony to be your wedded husband? To love and to cherish and to continually bestow upon him your heart's deepest devotion?

Patrice: I do.

Priest: Would you please hold hands? Anthony, repeat after me. Patrice, you are consecrated to me now as my wife.

Anthony: Patrice, you are consecrated to me now as my wife.

Priest: To love, to cherish, to have and to hold.

Anthony: To love, to cherish, to have and to hold.

Priest: For better, for worse, in sickness and in health.

Patrice: For better, for worse, in sickness and in health.

Priest: In sadness and in joy.

Patrice: In sadness and in joy.

Priest: To share together as long as we both shall live.

Patrice: To share together as long as we both shall live.

Priest: Amen.

2. La recepción

Rafael: *Esta es una boda hermosa, ¿no?*

John: *Ah, es una hermosa boda. Tan lindo verte de nuevo.*
¿Cómo estás?

Rafael: *Sí. Muy bien.*

John: *Bien. ¿Cómo está tu inglés?*

Rafael: *Bueno, está mucho mejor, creo, porque Verónica ha sido una gran maestra.*
¿Y qué hay de ti?

John: *Bueno, todavía estoy tratando lo mejor que puedo actuando. ¿Qué tal tu trabajo?*

Rafael: *Bueno, todavía estoy trabajando como chofer de camión con Santi,*
tu amigo. Ese tipo es muy bueno.

John: *¿Y qué hay de tu apartamento? ¿Te gusta tu apartamento?*

Rafael: *Seguro, un montón.*

John: *Escucha, tu inglés suena magnífico. ¿Qué estás haciendo?*

Rafael: *Bueno, gracias. He estado saliendo con una mujer americana.*
Sí, muy bien. Estoy pensando en comprar una casa nueva. Tú sabes,
una casa pequeña, porque creo que la necesito. Porque, mi mamá venir,
llegando este fin de semana a L.A.

John: *No bromees. ¿Ella va a quedarse contigo?*

Rafael: *Por un par de meses, yo pienso.*

John: *Bien. Bueno, buena suerte.*

Rafael: *Está bien. Buena suerte.*

John: *Cuídate.*

Rafael: *Está bien, te veo. Adiós.*

2. The reception

Rafael: This is a beautiful wedding, isn't it?

John: Oh, it's a beautiful wedding. So nice to see you again.
How are you doing?

Rafael: Yeah, very good.

John: Good. How is your English?

Rafael: Well, it's a lot better, I think, because Veronica has been a great teacher. How about you?

John: Well, I'm still trying the best I can at acting. How about your job?

Rafael: Well, I'm still working as a truck driver with Santi, your friend. That guy is very good.

John: And how about your apartment? Do you like your apartment?

Rafael: Sure, a lot.

John: Listen, your English sounds great. What are you doing?

Rafael: Well, thank you. I've been dating *with*[68] an American woman. Yeah, very good. I'm thinking *[of] buy[ing]*[69] a new house. You know, a small house, because I think I need it. Because, my mom come*[s]*[70], *arriving*[71] this weekend in L.A.

John: No kidding. Is she going to stay with you?

Rafael: For a couple of months, I think.

John: Good. Well, good luck.

Rafael: O.K. Good luck.

John: Take care.

Rafael: O.K., *'see you*[72], Bye.

---

68 with: (gramatical) Debe omitirse en este caso.
69 buy: (gramatical) Debe ser "of buying"= en comprar.
70 come: (gramatical) Debe ser "comes"= viene.
71 arriving: (gramatical) Debe ser "she arrives"= ella llega.
72 'see you: Forma de "I will see you later"= te veré más tarde.

3. Viejos Amigos

Rafael: *Hola, Liz, es lindo conocerte. Es lindo verte nuevamente.*

Liz: *Es lindo verte nuevamente.*

Rafael: *Es lindo conocerte.*

Liz: *Este es David, mi amigo.*

Rafael: *Ah, David, es lindo conocerte, yo soy Rafael.*

Mary: *¿Cómo está yendo todo?*

Rafael: *Todo está bien. Tú sabes, he hecho un montón de cosas. He cambiado de empleo. He comen–*

Mary: *¿No eres mesero?*

Rafael: *No, ahora estoy trabajando como chofer de camión en el centro de L.A. Ganando más dinero.*

Liz: *Bueno, cuéntanos sobre el apartamento. Estabas buscando un apartamento.*

Rafael: *Encontré el apartamento.*

Liz: *Encontraste un apartamento.*

Rafael: *Sí, muy buen apartamento. Pero, ¿sabes qué? Mi mamá llegando este fin de semana al centro de L.A. y ahora estoy buscando una casa nueva. Tú sabes, una casa pequeña.*

Liz: *¿Para rentar?*

Rafael: *Sí. Bueno, estoy pensando en comprar una casa pequeña.*

David: *Esa es una buena idea.*

Mary: *¿Aún estás estudiando?*

Rafael: *Sí. Estoy pensando en convertir en un programador de computadoras.*

3. Old friends

Rafael   Hi, Liz, [it is] nice to meet you. Nice to see you again.

Liz: [Is is] Nice to see you again.

Rafael: [Is is] Nice to meet you.

Liz: This is David, my friend.

Rafael: Oh, David, [it is] nice to meet you, I'm Rafael.

Mary: How is everything going?

Rafael: Everything's good. You know, I've done a lot of things.
                I changed jobs. I'm start...

Mary: You're not a waiter?

Rafael: No, now I'm working as a truck driver in downtown L.A. making
                more money.

Liz: Well, tell us about the apartment. You were looking for an apartment.

Rafael: I found the apartment.

Liz: You found an apartment.

Rafael: Yeah, very good apartment. But, you know what? My mom
                arriving[73] this weekend in downtown L.A. and now I'm looking
                for a new house. You know, a small house.

Liz: To rent?

Rafael: Yeah. Well, I'm thinking about buying a small house.

David: That's a good idea.

Mary: Are you still studying?

Rafael: Yeah. I'm thinking about *become*[74] a computer programmer.

---

73 arriving: (gramatical) Debe ser "arrives"= llega.
74 become: (gramatical) Debe ser "becoming"= convertirme, ser.

Mary:	*¿Y cuáles son tus planes para el futuro?*
Rafael:	*¿El futuro?*
Mary:	*Sí.*
Rafael:	*Bueno, estudiar, tú sabes, más sobre computadoras porque eso es, ah...*
David:	*El futuro.*
Rafael:	*Sí, ése es el futuro.*

4. Grandes esperanzas

Verónica:	*Rafael, éste es un amigo mío, David. David, éste es Rafael.*
Rafael:	*Oh, David, es lindo conocerte.*
David:	*¿De dónde has venido?*
Rafael:	*Soy de Costa Rica, América Central.*
David:	*¿Estás viviendo aquí ahora, en los Estados Unidos?*
Rafael:	*Sí, estoy viviendo aquí ahora. ¿Conoces Costa Rica?*
David:	*No, nunca he estado allí. Me gustaría ir.*
Rafael:	*Sí, es un país pequeño, pero es hermoso.*
David:	*¿Qué haces aquí? ¿Qué trabajo haces?*
Rafael:	*Bueno, ahora estoy trabajando como chofer de camión en el centro de L.A.*
David:	*Pues, ¿cuáles son tus planes para el futuro?*
Rafael:	*Estoy pensando en convertirme en programador de computadoras.*
David:	*Ah, eso es bueno.*
Rafael:	*Sí. Estoy considerando solicitar la ciudadanía americana.*
David:	*Bien.*
Rafael:	*Sí.*

Mary:	And what are your plans for the future?
Rafael:	The future?
Mary:	Yeah.
Rafael:	Well, study, you know, more about computers because that's, ah…
David:	The future.
Rafael:	Yeah, that's the future.

4. Great expectations

Veronica:	Rafael, this is a friend of mine, David. David, this is Rafael.
Rafael:	Oh, David, [it is] nice to meet you.
David:	Where did you come from?
Rafael:	I'm from Costa Rica, Central America.
David:	Are you living here now, in the States?
Rafael:	Yeah, I'm living here now. Do you know Costa Rica?
David:	No, I've never been there. I'd like to go.
Rafael:	Yeah, it's a small country, but it's beautiful.
David:	What do you do here? What work do you do?
Rafael:	Well, now I'm working as a truck driver in downtown L.A.
David:	So what are your plans for the future?
Rafael:	I'm thinking about becoming a computer programmer.
David:	Oh, that's good.
Rafael:	Yeah. I'm considering *apply* [75] for U.S. citizenship.
David:	Good.
Rafael:	Yeah.

---

75 apply: (gramatical) Debe ser "applying" = solicitar.

97

Notas

Curso
de Audio

Unidad 21: El suéter verde perdido

A I'm looking for my green sweater, Pilar. Have you seen it?
Estoy buscando mi súeter verde, Pilar. ¿Lo has visto?

B Your green sweater? Mmm, let me see. Yes, you lent it to David.
¿Tu suéter verde? Mmm, déjame ver. Sí, se lo prestaste a David.

A David? Never. He doesn't wear green, he hates it. He's always
in blue or gray.
¿David? Jamás. Él no va de verde, lo odia. Siempre va de azul o gris.

B Well, then I don't know where it is. When did you wear it last?
*Bueno, entonces no sé donde está. ¿Cuándo te lo pusiste por última
vez?*

A Good question. Let me think. Well, I think I wore it to class yesterday
afternoon. The weather changed suddenly and I felt cold.
*Buena pregunta. Déjame pensar. Bueno, creo que me lo puse para ir
a clase ayer por la tarde. El clima cambió de repente y sentí frío.*

B That's right. I remember now. You were wearing it when you got to
Franco's.
Eso es. Ahora recuerdo. Lo llevabas puesto cuando llegaste a Franco's.

A Yeah! It was so hot in the restaurant that I took it off.
I must have left it there.
*¡Sí! Hacía tanto calor en el restaurante que me lo quité.
Debí dejarlo ahí.*

B Give them a call and see if they've found it.
Llámalos y averigua si lo han encontrado.

Unidad 22: En el consultorio del doctor

A   Good morning. My name is Carlos Pineda. I have a 10 o'clock appointment with Dr. Puckett.
Buenos días. Mi nombre es Carlos Pineda. Tengo una cita a las diez con el Dr. Puckett.

B   Good morning. Is this your first visit to Dr. Puckett, Mr. Pineda?
Buenos días. ¿Es ésta su primera visita al Dr. Puckett, Sr. Pineda?

A   Yes, it is.
Sí, lo es.

B   Fine. Well, take a seat and while you're waiting to see the doctor fill in this form, please.
Bien. Bueno, tome asiento y mientras espera al doctor llene este formulario, por favor.

A   OK. Do you have a pen I can use?
Bueno. ¿Tiene una pluma que pueda usar?

B   Certainly. Here you are.
Por supuesto. Aquí tiene.

A   Thank you.
Gracias.

B   The doctor will see you now. Leave your form with me.
El doctor le verá ahora. Deje su formulario conmigo.

A   Here you are. Thanks.
Aquí tiene. Gracias.

Variantes y Combinaciones

Leave the form with me.
Deje el formulario conmigo.

Notas

Notas

Notas